C'ÉTAIT CHIRAC

DU MÊME AUTEUR

C'ÉTAIT EN 58 OU EN 59..., *récit*, Calmann-Lévy, 2011.

SAÏD MAHRANE

C'ÉTAIT CHIRAC

BERNARD GRASSET
PARIS

Photo de couverture : © AFP.

ISBN : 978-2-246-85404-3

Il fume. Malgré les interdits des médecins, les remontrances de sa femme et les conséquences qu'il sait néfastes pour sa santé, il fume. Il n'a d'ailleurs jamais cessé de fumer. Ses proches, qui n'ignorent rien de ce penchant, ont choisi de ne rien voir, de le laisser faire. Il s'adonne en privé à ce petit rituel tabagique pour tuer l'ennui, procurer un semblant d'activité à un corps qui n'en a guère plus. Quand il a l'assurance d'être seul, il plonge la main dans la poche de sa veste d'où il sort un paquet de cigarettes. Il en fait glisser une entre ses longs doigts, se lève lentement, change de pièce, car il ne faut surtout pas que l'odeur imprègne la moquette, les rideaux et tout le reste. Il se dirige vers le bureau de son jeune conseiller et ancien fumeur, Hugues Renson. Il y tire une chaise, coince la cigarette au bout de ses lèvres et allume un briquet, usant de ses deux mains. Il ne fume certes plus autant qu'avant, mais il n'a rien perdu de la gestuelle fluide du fumeur. Il ne montre aucune hésitation, aucune maladresse au moment d'inhaler la fumée, de l'avaler, de la garder longuement quelque part dans ses poumons engoudronnés par soixante ans de pratique et de la recracher en un jet, tête lâchée en arrière, les yeux mi-clos, regardant le spectacle dansant de ce petit nuage éphémère. L'extase. S'il apprécie ce vieux vice, c'est moins pour apaiser une angoisse – d'ailleurs en éprouve-t-il encore ? – que par accoutumance. Ou par transgression. Fumer lui procure cette excitation intérieure, celle, gamine, de braver une sorte d'interdit conjugal. Jusqu'à son dernier souffle, Jacques Chirac fumait. C'était son bras d'honneur.

Il fallait suivre Jacques Chirac. Il fallait rendre compte de l'actualité d'un fantôme. Qu'avais-je donc fait pour en hériter ? La punition était là, sévère. En ce mois de mai 2007, les girouettes parisiennes n'indiquaient plus la Chiraquie comme la direction à prendre. Le vent en bourrasque soufflait ailleurs. Après les « Trente Glorieuses », le chiraquisme et tout ce qu'il charriait tombaient en désuétude. C'était une certaine idée de la France qui, soudainement, devenait aussi obsolète que le minitel ou la Traction avant. Et Chirac lui-même, de quoi était-il devenu le nom ? Lunettes en écaille de tortue. Pantalon accroché à mi-ventre. Short, chaussettes et mocassins à Brégançon. Vél'd'Hiv'. Irak. Corona. « Pschitt ». Celui du dernier vestige d'une époque révolue, où le politique touchait autant l'électeur que le cul des vaches.

Nicolas Sarkozy l'avait dit et sans doute l'ai-je cru : la rupture se ferait à tous les étages. C'est là qu'il fallait être, aux premières loges de cette grande promesse. Des journalistes expérimentés, et non des moindres, montraient la même excitation, sans gêne ni pudeur. D'aucuns avaient connu le Raminagrobis Pompidou, le moderne Giscard, l'hypnotique Mitterrand, mais ils regardaient Sarkozy avec les yeux d'un puceau sur une aguicheuse. Il y avait bien une affaire de libido là-dedans.

Nicolas Sarkozy était vivant, tout en tension, palpable, brutal, drôle et détestable, présent et rarement absent. J'ai donc couvert l'Elysée et, seulement quand il y avait entracte, seulement quand le président de la République daignait ralentir le rythme, je m'intéressais à Jacques Chirac. J'avais le sentiment, en allant le visiter, de déambuler dans une autre dimension d'un pas léger et serein, celui que l'on adopterait dans un musée d'arts anciens. Un monde clos, secret, maçonnique dans son cloisonnement et sa fraternité, où l'instinct de défense du vieux président était la règle. Où la langue de bois était la règle. Un univers où celui qui était étranger au clan avait toutes les chances de le rester, malgré sa probité et sa détermination. Pour approcher Jacques Chirac, il fallait s'armer d'une patience sans limites, accepter d'être pris pour un abruti, tolérer les messages sans réponse, les mails « morts » en pagaille, et donner mille gages de sérieux et d'honnêteté. La meilleure manière de le voir était encore d'être recommandé.

En réalité, nul ne m'avait imposé de suivre Chirac. La punition, je me l'étais infligée à moi-même. C'est plus fort que moi, les fins m'appellent. Le déclin m'inspire. L'impuissance de celui qui a connu la puissance attire mon regard. Et puis, j'aime les vieilles personnes. J'éprouve de la tendresse pour elles, parfois de l'envie. Parmi mes clients, j'avais Charles Pasqua, Pierre Mazeaud, Jean-Marie Le Pen, Edouard Balladur... Mes plus beaux souvenirs d'entretien, indéniablement. Le Pen me racontant la corpo de droit et ses castagnes au Quartier latin, mimant un crochet du droit porté au menton du gauchiste ; Pasqua, sa prise des Hauts-de-Seine, avec son accent légendaire ; Balladur, sanglé dans un costume Arnys, m'expliquant combien la sexualité et la religion avaient valeur de boussole pour François Mauriac.

J'ai longtemps côtoyé, également, Philippe Séguin, mort en 2009. Il n'était pas vieux, il était pire. J'appréciais la tragédie du génie enfermé, non dans une lanterne carthaginoise, mais dans un bureau boisé et enfumé de la Cour des comptes, alors que ce grand personnage de la Ve République n'eût pas fait figure d'imposteur à l'Elysée.

Jacques Chirac n'était plus rien; Nicolas Sarkozy était tout. Depuis mon point d'observation, j'avais donc cette vue imprenable sur ces deux hommes aux fortunes contraires. L'aube ou le crépuscule. La peau flasque ou le biceps congestionné. Le velours côtelé ou le costume cintré à la taille. Le visage fripé ou poudré de fond de teint. Un presque double-mètre bâillant à s'en crever les tympans ou un quasi-mètre et demi de nerfs et d'épines.

Je connaissais tout de Nicolas Sarkozy et lui en savait pas mal à mon sujet. Il n'aimait rien tant que me broyer la main quand la dernière une de mon journal l'avait horripilé, traiter mon patron de « pervers », m'enjoignant de lui faire passer le message. Il comparait nos deux itinéraires, nous qualifiait tous deux de « métèques », quand il ne parlait pas football ou famille. Il me demandait, je ne sais pourquoi, ou plutôt je ne le sais que trop, mon point de vue sur la Palestine, sur Israël...

De Chirac, j'ignorais quasiment tout. Je savais, bien sûr, les grandes lignes de sa vie, mais peu de détails sur l'homme, sa chair, sa nature. J'avais eu l'occasion de lire une mauvaise biographie de lui, puis une autre bien meilleure. Son bilan n'avait pas bonne réputation. De sa présidence, je gardais le souvenir d'un monarque aux rares apparitions et aux convictions incertaines. Les « Guignols » et les sarkozystes ne le présentaient pas autrement. Un député de droite m'a dressé, un jour, ce portrait lapidaire de lui : « Vous voyez Sarkozy ? Eh bien, Chirac est le même en privé et tout le contraire en public. » En somme, un homme habile. Mais jamais ne me fut donnée l'occasion de le sentir, de remuer ma truffe sous son grand nez. Suivre Chirac fut donc, pour moi, une expédition en terre inconnue. L'idée de consulter une documentation, sûrement plus qu'épaisse, sur sa vie et son œuvre politique m'avait un temps effleuré l'esprit, mais à quoi bon ? « Quand on serre une main, quand on capte un regard, on en apprend plus qu'en lisant un dossier », avait coutume de théoriser l'ancien président de la République, objet de mon défi. Un regard vaut toutes les documentations du monde. C'est aussi ma conviction.

Longtemps le siège du RPR s'est trouvé rue de Lille et, malice ou cruauté du destin, celui qui fut le président de ce parti gaulliste a retrouvé, en 2007, l'artère parisienne dans laquelle il avait tant comploté, menacé et travaillé à ses rêves de grandeur. La République avait mis à sa disposition environ 200 m² de bureaux, sis à deux pas de l'Assemblée nationale, et pour justifier l'attribution d'un lieu aussi vaste, son entourage aimait à raconter qu'il y travaillait intensément, à un rythme effréné, quasi semblable à celui de ses années élyséennes. Mais en était-il encore capable ? Et à quoi travaillait-il, au juste ? J'ai appelé son secrétariat. Une femme a décroché, puis m'a passé l'attachée de presse, Bénédicte Brissart. J'eus soudain la curieuse impression de déranger. Une impression qui m'étreint chaque fois que je suis amené à discuter avec un chiraquien. Il régnait une sorte de silence à l'autre bout du fil, l'écho d'un monde calfeutré, quelque chose de sourd que la voix de mon interlocutrice semblait ne pas vouloir briser. Bénédicte Brissart a fait ses classes à l'Elysée sous Chirac. Issue d'une famille de militaires, elle est un pur produit de l'école Claude Chirac, et même un de ses meilleurs éléments. Autant dire que la partie s'annonçait compliquée.

« Bonjour, je travaille au *Point* et je souhaiterais rencontrer le président Chirac.

— Euh, oui, mais vous n'êtes pas sans savoir que le président n'accorde pas d'entretiens aux journalistes.

— Ah, vraiment ?

— Vraiment.

— Vous pouvez peut-être insister auprès de lui ?

— C'est difficile.

— J'aimerais le voir, même cinq minutes, pour...

— Bon, laissez-moi vos coordonnées, je vous rappelle. »

J'espérais ne pas avoir trop bredouillé, d'une voix trop juvénile. Je craignais qu'elle ne me considérât comme un curieux de passage, un journaliste qu'elle ne reverrait plus après la publication de l'article et dont le seul dessein est de faire du « buzz » en recueillant les confidences d'un ancien chef de l'Etat.

Pourtant, cet échange téléphonique, il me semblait l'avoir déjà vécu. Nombre de confrères s'étaient déjà cassé les dents sur l'intransigeance de Bénédicte Brissart et sur son trop grand respect des consignes. Combien s'étaient plaints de ne pouvoir approcher le président vieilli, en raison des méthodes de filtrage, ô combien drastiques, de sa garde rapprochée. Sa communication, plus que maîtrisée, était cadenassée. Le pape est plus accessible. Claude, sa fille, veillait. Elle pouvait être à l'autre bout du monde, elle veillait, forte de l'efficacité de sa vigie parisienne, Bénédicte Brissart. Jusqu'en 2011, année de la fin de sa collaboration avec le groupe PPR [le groupe Pinault-Printemps-Redoute], elle ne disposait pas de bureau au 119, rue de Lille, ce qui ne l'empêchait cependant pas d'être omniprésente. A distance, elle voulait tout savoir, tout régenter. Elle dirigeait la communication de PPR, tout en gérant celle de son propre père. Les journalistes les plus expérimentés la disaient redoutable, extrêmement pointilleuse. Humainement plus proche de sa mère Bernadette, quoique, en apparence, moins glaçante. De Jacques Chirac, elle a hérité une propension à toujours rechercher l'ombre. Comme lui, elle n'apprécie pas la compagnie des curieux, désespère les amateurs de confidences et éloigne les cœurs trop empressés. En cela, l'exact inverse de Bernadette, devenue avec le temps une sorte de figure tutélaire et désuète de notre République, qui n'est heureuse que dans la lumière et quand elle entrevoit son reflet flatteur dans l'œil du courtisan. Elle s'épanche volontiers, Bernadette, surtout lorsqu'il s'agit de raconter les « misères » que lui a infligées son mari, cinquante ans durant. « Si vous saviez... », soupirait-elle en terres mondaines, les yeux inspirant la piété, comme si sa vie n'avait été qu'horreurs. L'obscurité, Bernadette ne l'admet que quand elle s'impose en quelque lieu, comme dans ces boîtes de nuit ou ces soirées VIP dont elle est friande. « Elle ne jure plus que par Karl ! Karl ! Karl ! » m'a dit un jour son époux, dépité de voir sa dame, bottée en Dior, lunettes fumées sur le nez, courir les défilés de mode de son couturier adoré : Karl Lagerfeld. Elle est restée première dame dans le geste, mais surtout dans le verbe. Cassant. Parfois, méchant. C'est à croire qu'elle entretient à plaisir l'image de la vieille dame qui joue de son air froid et autoritaire pour faire pleurer les enfants. En un mot, elle vous foudroie et vous prive de toute répartie. En un regard, elle vous pétrifie. « Jacques, mettez-vous dans la tête que vous n'êtes plus rien », lançait-elle, sans l'aumône d'un regard, à l'homme qui partageait sa vie. Il n'était plus rien. Ou il ne devait plus être que le mari de Bernadette, elle qui a si longtemps été madame Chirac. L'élue (de la Corrèze), c'est maintenant elle. Les interviews sont pour elle. Les portes ne s'ouvrent plus que devant elle. Les éditeurs la réclament, elle. A la Toussaint 2011, ma collègue Anna Cabana, grand reporter au *Point*, s'est trouvée par hasard dans le même hôtel que les Chirac, au Maroc, où le couple s'accordait quelques jours de vacances. Dans un portrait consacré à la patronne de ce palace marocain, Rita Bennis, Anna rapportait une scène qui peut surprendre quand elle ne brise pas le cœur. Une scène révélatrice de la nature de leurs relations, que je n'aurais pu imaginer aussi violentes. « Elisabeth et Robert Badinter ont mieux à faire ce soir que de dîner avec vous... Vous n'êtes que le bruissement des ailes d'un insecte. » Bernadette Chirac a parlé fort, très fort. Assis en face d'elle, son mari la défie : « Quoi ? » Elle répète : « Vous n'êtes que le bruissement des ailes d'un insecte. »

L'article fit sensation chez les Chirac, autant pour la révélation de ce cruel échange que pour une confidence, rapportée plus loin dans l'article, de Rita Bennis : on y apprit que le couple Chirac ne payait pas ses nuitées. Quelle ne fut pas la fureur de l'ancienne première dame, soudainement reléguée au rang de profiteuse, soit le pire des statuts dans l'univers codé et strassé qu'elle fréquente. Quand l'honneur des Chirac est bafoué, la réaction doit être immédiate. Parce qu'il fallait punir la tenancière d'avoir été trop bavarde, Bernadette annula son séjour à Taroudant, prévu entre Noël et le nouvel an. Elle estimait que sa seule présence dans le palace offrait au lieu une notoriété internationale, qui valait largement paiement. Un vieux collaborateur de Chirac, qui n'appréciait guère « Bernie » pour avoir été maintes fois déconsidéré par elle, m'en fit un portrait peu amène : « Son liquide amniotique était du vinaigre. » Nul n'est décidément enclin à la mesure quand il s'agit de Bernadette.

Comme l'on me demandait un jour de définir les relations de ce couple, dont il était devenu évident aux yeux de tous qu'il cohabitait plus qu'il ne fusionnait, il m'est venu à l'esprit le scénario du *Chat*, ce film des années 70 adapté du livre de Simenon, avec Jean Gabin et Simone Signoret. C'est l'histoire d'un couple de retraités, vivant dans un pavillon de banlieue, qui ne se supportent plus : ils râlent, se chamaillent, se font la tête, mais conservent l'un pour l'autre quelque chose qui ressemble à de l'amour. Car c'est bien le paradoxe de Bernadette : qui s'autorisait en sa présence la moindre méchanceté envers Jacques avait affaire à elle. Elle ne laissait rien passer. Elle seule pouvait dire du mal de son homme.

Adepte des jeans usés et des flâneries, son golden retriever en laisse, Claude impose elle aussi une forme de distance, qui n'est pas du mépris, mais plutôt de la réserve, et qui trouve une résonance dans le ton de sa voix, saccadé, ferme, invitant l'interlocuteur à la brièveté. Une bobo sans façon. Contrairement à bien des chiraquiens, elle n'a jamais tourné le dos à son père, contre lequel, dans sa prime jeunesse, elle a pourtant formé son caractère. Il n'a pas toujours été son modèle, cet absent, constamment entre deux élections et si peu attentif à l'évolution, sans parler de l'élévation, de ses filles. Parfois, quand il daignait prendre des nouvelles de ses enfants, il lui arrivait de ne pas écouter la fin de la réponse, l'oreille déjà ailleurs. Claude a alors passé un compromis historique avec elle-même : son père était un politique engagé dans un combat sans merci, elle l'avait compris, mais, sans elle, sans son amour, sans sa pugnacité et son farouche caractère, il manquerait toujours à cet homme angoissé un facteur apaisant, sinon un tuteur. Elle signerait son malheur. Pour lui, elle a donc toujours été là, et plus encore après 2007, quitte à sacrifier certains plaisirs de la vie. Plus qu'une chiraquienne, elle est une Chirac, ayant longtemps suscité la jalousie pour la proximité qu'elle entretenait avec son père du temps de l'Elysée. On a voulu les séparer, les diviser. Aussi Claude a-t-elle été au centre de nombre de rumeurs, fausses ou tout simplement ignobles, et de fantasmes sur sa vie et sur son rôle à l'Elysée. Les vilaines langues ont longtemps affirmé qu'elle ne pouvait exercer son savoir-faire de communicante qu'à l'endroit d'un seul client, son père, car aucun autre que lui n'aurait accepté d'être à ce point bridé. Autant cette quasi-mise sous tutelle paraissait exagérée durant son passage à l'Elysée, autant, après 2007, elle pouvait se concevoir. « Chirac », comme elle désignait son père, était désormais un vieil homme fatigué, victime d'un AVC, ne maîtrisant plus tout à fait ses mots. Dès lors, comment lui demander, à elle, fille follement aimante, d'envisager une stratégie d'ouverture ? Avec Claude, tout émanait spontanément du cœur, son seul critère de réflexion en toute chose impliquant son géniteur. Une comparaison s'impose, osée, mais, du point de vue de l'attachement, valable. Je me souviens d'une interview que m'accorda Marine Le Pen et de l'agacement dont elle fit preuve tandis que je l'entraînais sur le terrain de la Seconde Guerre mondiale, des chambres à gaz, du révisionnisme et que je lui rappelais les propos scandaleux de son père, Jean-Marie, sur chacun de ces sujets. Elle tenta de les justifier avec une mauvaise foi insupportable. Et, disons-le, touchante. Oui, touchante. A cet instant, elle n'était plus la fringante présidente du FN, gueularde et tacticienne. Elle donnait l'impression d'avoir dix ans en prenant la défense de son père, son tendre père, qu'un étranger – au sens où elle me connaissait peu – entendait faire passer pour un vilain personnage. Il en va ainsi de Claude. Je le crois. J'en suis sûr. Jacques n'est pas Jean-Marie, mais l'instinct de protection est le même, le lien du sang n'autorisait aucune concession, aucune liberté critique. Toutes griffes dehors s'il le fallait, si le cœur le commandait. Claude s'est construite dans l'idée que tout élément étranger à la cellule familiale était hostile au patriarche, jusqu'à preuve du contraire. Durant la retraite de l'ancien président, la hantise de Claude fut de voir publier une photo de son père ou un article le faisant apparaître sous les traits d'un zombie, la mâchoire tombante, le pas difficile, amaigri... L'image, peut-être gênante pour la réputation de l'ancien chef de l'Etat, aurait sûrement provoqué l'immense tristesse de sa benjamine.

Beaucoup de chiraquiens n'ont pas compris ce qui se jouait réellement entre la fille et le père et n'ont eu de cesse de fustiger la ligne de conduite adoptée par Claude. Pourquoi fallait-il taire la maladie, cacher les conséquences d'une vie d'excès ? Pourquoi enterrer vivant, entre les murs épais d'un bureau parisien, un homme malade ? Pour les amis de Chirac, la réalité sur son état de santé aurait été comprise des Français. L'époque où Georges Pompidou apparaissait en conférence de presse le visage bouffi par la cortisone – même si les services de l'Elysée tentaient de faire croire qu'il s'agissait d'une grippe – et où François

Mitterrand affichait le masque blême de la mort lors de ses vœux aux Français, était, pour Claude, définitivement révolue. Cette envie de tout cacher, de ne rien divulguer, de mettre un voile sur la personne de Chirac et sous clef son bulletin de santé, eut, et il fallait s'y attendre, le don de provoquer l'effet inverse. En rien, évidemment, cette stratégie ne dissuada les curieux.

Paris est une redoutable caisse de résonance, qui ni ne trie ni ne vérifie ce qu'elle donne à entendre. Les fantasmes et les inventions de tout poil se multipliaient au sujet du malade le plus connu de France. Dix fois, vingt fois, des hommes politiques m'ont téléphoné pour me demander si Jacques Chirac était mort, comme l'affirmait l'écho du moment. Dès 2007, alors qu'il entretenait une forme encore raisonnable, qui lui permettait de se montrer fringant, des bruits ont couru selon lesquels il était gâteux, affreusement gâteux. Gâteux au point de ne pas reconnaître un ami de longue date, d'être sourd comme un pot, de dire « bite » et « couilles » à tout bout de champ et de draguer les filles les plus quelconques, lui qui honora les plus belles. De surcroît, on le disait dépourvu de surmoi, capable de provoquer un incident diplomatique devant le moindre micro tendu. Chacun y allait de sa petite anecdote. Tout le monde avait vu ou croisé Chirac en piètre état, au restaurant, dans la rue, dans sa voiture… Chaque fois, les récits s'accompagnaient d'une mimique pleine d'empathie, celle que l'on ferait devant un défunt.

Fallait-il croire ou non ce flot de rumeurs ? Où était la vérité ? Comme souvent, quelque part entre les deux.

Je savais ce que disait partout Bernadette Chirac. La mandibule tombante de compassion, Frédéric Mitterrand me rapporta cette confidence de l'ancienne première dame, qu'il croisa un jour en marge d'un rendez-vous culturel : « Vous savez Frédéric, mon mari ne va pas bien du tout. Il ne regarde même plus la télévision. Il n'y a que Jean-Louis Debré et les Pinault qui pensent vraiment à lui. » Je n'avais que très peu de moyens de le vérifier. Après les séances de questions d'actualité à l'Assemblée nationale, il m'arrivait donc de rôder du côté du « 119 » dans l'espoir de l'apercevoir. Moi aussi. J'achetais *Le Monde* chez un vendeur de journaux à la sortie du métro Assemblée-Nationale et commandais un café à la terrasse du Concorde, une brasserie du boulevard

Saint-Germain bien connue de Chirac. J'avais une vue imprenable sur la rue de Lille. Je le savais là, présent dans ses bureaux, en voyant sa Renault Vel Satis garée à cheval sur le trottoir. Et j'attendais.

A l'inverse du général de Gaulle, Chirac n'a pas quitté les Français fâché. Fâché, il l'était contre lui-même. Il faisait son propre procès, maudissant l'âge qui le rendait vulnérable. C'était en lui et contre lui-même que régnait la plus grande sévérité, quand il n'était pas simplement triste d'offrir aux Français l'image d'un roc devenu craie. Il m'arrivait de le voir sortir, le dos raide, le menton au garde-à-vous, marchant en montant bien haut les genoux, soucieux de faire « bella figura » le temps de traverser le mètre de trottoir qui le séparait de son véhicule. Installé à l'arrière de sa berline, ce grand corps que l'on disait malade baissait la vitre pour saluer les passants et, avec une plus grande insistance, les passantes, d'une main reconnaissable entre toutes : grande, tavelée, baguée d'or à l'annulaire avec un espace d'un centimètre entre chaque doigt. On m'a rapporté qu'il ne disait jamais une voiture, mais une « automobile ». Dans sa bouche, l'avion devenait un « aéroplane ». Ça faisait toujours sourire autour de lui.

Bénédicte Brissart m'envoya un texto : « Je suis avec le pr, la réponse est non. Navré. » Claude Chirac avait dit non.

Ecrire un portrait de Jacques Chirac, sans Jacques Chirac. C'est ce qu'on appelle dans le jargon journalistique faire un portrait sauvage, c'est-à-dire sans le sujet sous vos yeux et, surtout, sous votre nez pour pouvoir le renifler, saisir une humeur, une anecdote, une vacherie, un cri du cœur, un silence. Il m'a fallu m'y résigner, ne pouvant avoir accès à l'acteur principal de mon article, du fait qu'une personne, en l'occurrence Claude Chirac, ne me connaissait pas, et quand elle ne connaissait pas, elle refusait toute demande d'entretien avec son père. Ce procédé avait valeur de règle immuable, au moins depuis 1995, date à laquelle les Chirac entrèrent à l'Elysée. C'est l'histoire absurde et courante du type qui se fait refouler d'une boîte de nuit au motif qu'il n'en est pas un habitué. Pour l'être, encore fallait-il qu'il y soit entré une première fois ! Le portrait est paru. En fait de portrait, il s'agissait d'un article sur la nouvelle vie de Chirac, dans lequel je racontais avec force détails et anecdotes son emploi du temps et ses rencontres. Pour y arriver, j'ai joint tout ce que la Chiraquie comptait de fidèles, politiques comme personnalités de la société civile. Un proche me recommanda vivement de m'adresser à une dénommée Marie-Hélène Bérard, que je ne connaissais pas. Son nom même ne me disait rien. Ancienne conseillère de l'Elysée, femme discrète bien que bonne vivante, elle avait gardé contact avec son ancien patron, qu'elle voyait régulièrement dans le cadre de réunions sur les missions de la Fondation Chirac. Sans condition aucune et dès mon premier coup de fil, elle accepta de me rencontrer. A sa voix, je la devinai affable, drôle, pleine d'énergie et d'amour pour son Chirac. Les échanges que nous eûmes par la suite confirmèrent mon intuiton. Si d'ailleurs l'envie la prenait d'écrire un livre sur ses années élyséennes, elle produirait à coup sûr un best-seller, tant les anecdotes sur l'ancien chef de l'Etat, souvent cocasses sinon émouvantes, lui reviennent comme de vieilles chansons.

Elle travaillait dans le secteur des hydrocarbures, notamment avec la Russie. Elle était russophone, comme Chirac. Après notre premier entretien, qui se déroula dans un climat de confiance, ce qui n'était pas le cas de toutes mes rencontres avec les chiraquiens, nous nous sommes revus. Nous avons sympathisé, comme on dit généralement pour définir une relation ni amicale ni quelconque. Marie-Hélène m'invita même à sa remise de la Légion d'honneur par Bernard Kouchner, alors ministre des Affaires étrangères. Devais-je y aller ? La récipiendaire me livra un détail qui mit très vite un terme à mes hésitations : « Venez, Chirac sera là ! »

Nous étions le 10 juin 2008. La cérémonie avait lieu au Quai d'Orsay, sur les pelouses épaisses du ministère, si épaisses que le pied s'y enfonce jusqu'à mi-semelle. Il faisait grand soleil et, comme toujours en ce genre de circonstance, cette fois au cœur de la diplomatie française, le champagne ne laissait aucune acidité sur la langue. Marie-Hélène avait revêtu une longue robe bleue pour l'occasion. Elle s'était aussi maquillée. Elle était belle. A sa droite, debout sur le perron, le poitrail bombé comme pour se grandir de quelques centimètres, Bernard

Kouchner ; à sa gauche, légèrement voûté, un sourire rehaussant un masque de rides, Jacques Chirac. Le ministre des Affaires étrangères prononça un discours, ni bon ni mauvais. Chirac applaudit, quand il vit l'assemblée applaudir. Ces invités, près d'une centaine, donnaient davantage l'étrange impression de scruter la forme physique de l'ancien président de la République que d'être attentifs à l'allocution fleuve de Bernard Kouchner. C'était bien lui, Chirac, l'attraction. A l'évidence, je n'étais pas le seul à me demander s'il allait rester longtemps debout sans grimacer de fatigue. Je n'étais pas le seul, non plus, à poser mon regard sur ses pieds, sur son pantalon ample, sur ses mains aux veines apparentes, par moments tremblotantes, sur son visage. A quoi pensait-il ? Que signifiait ce tic de la bouche ? Les jambes, tiendraient-elles ? Et sa tête ? Et si, là, soudain, il se mettait à prendre la parole, à interrompre Bernard Kouchner pour lui dire combien son costume gris était laid, mal taillé, ou pour moquer sa chevelure que l'on aurait dit teinte aux extrémités ? Et puis, lui demander quelles étaient les raisons qui l'avaient conduit, lui le socialiste droit-de-l'hommiste, à soutenir Nicolas Sarkozy ? Claude Chirac n'était pas là. Vint la fin du discours de Marie-Hélène. Après l'avoir embrassée chaleureusement, Chirac se tourna vers la masse des invités, qu'il surplombait du haut du perron. Soudain, il se trouva face à un terrible obstacle : un escalier. Un escalier en pierre lisse, baptisé « escalier d'honneur », large de plusieurs mètres, sans rampe. Triste spectacle. Mais quel triste spectacle offraient aussi les convives, autant de spectateurs à cet instant, qui, coupe de champagne à la main, attendaient de le voir entamer la descente. Moi-même, n'avais-je pas ma place aux premières loges ? Il posa un pied sur la première marche, déjà concentré sur la deuxième. Alors, plus médecin que ministre, Bernard Kouchner abandonna d'un bond ceux qui l'entouraient pour se rendre auprès du président en détresse. Il lui saisit le haut du bras. Cette attention provoqua instantanément un geste d'orgueil de la part de Chirac, qui leva vivement le coude pour se dégager. Il avait soixante-dix-huit ans, il était affaibli par les séquelles d'un AVC, mais il entendait ici démontrer sa capacité de franchir, sans glissade ni déséquilibre aucun, un vulgaire escalier de dix-huit marches. N'était-ce pas lui qui, il y a peu, montait celles de l'Elysée, sans doute plus hautes et plus raides que celles-ci, quatre à quatre ? A ces invités scrutateurs qui, il le savait, se feraient une joie de rapporter ce moment privilégié aux potineurs parisiens, il voulait infliger un cinglant démenti. Tout dans son attitude disait : Sachez, curieux, que votre ancien président n'est en rien valétudinaire ou inapte à marcher seul. Regardez-moi ! Le pied sur la deuxième marche, il poursuivait son chemin de croix, ne quittant plus des yeux le marbre patiné. Tout à son défi, les bras à équidistance du tronc assurant un équilibre, il avait attaqué l'escalier en son milieu pour finir la descente en biais, sur une trajectoire déviante. Il avait réussi. A présent sur la pelouse, il pouvait relever la tête et braver tout le monde du regard. Sans doute souffrait-il. Sans doute ses genoux chauffaient-ils, de même que le bas de son dos, mais il s'imposait un silence. Comme toujours, un rideau de pudeur. Edith Cresson, l'ancien Premier ministre de François Mitterrand, vint la première le saluer. Galant jusque dans la douleur, Chirac trouva les forces et la lucidité de lui baiser la main. Elle le congratula pour le lancement récent de sa Fondation et lui remit une enveloppe, qu'il glissa dans la poche intérieure de sa veste. « Vous voyez cette dame, lanca Chirac à un inconnu. Je n'ai pas ses opinions, je ne suis pas socialiste, mais j'ai toujours pensé que c'était une femme admirable, qui a été l'honneur de la France.» Flattée, Cresson rétorqua : «Vous n'êtes pas socialiste? Un peu quand même...» Chirac fit mine de guetter autour de lui les oreilles indiscrètes, puis sourit : «Ça oui, mais il ne faut pas le dire.»

Plus loin, il croisa Michel Charasse – «Tiens, voilà Charasse!» Le socialiste le salua et souhaita bonne chance à sa Fondation. «Quand vous me le dites, vous, je sais que c'est sincère. En revanche, ce n'est pas le cas de tout le monde...», telle fut la réponse de celui qui, à l'évidence, prenait plaisir à côtoyer des socialistes. Les invités l'entouraient, heureux de le voir de près, formant autour de lui un attroupement de plus en plus important, oppressant. Un homme, soudain, lui glissa un mot à l'oreille. Chirac se redressa, le fixa dans les yeux et lui demanda : «Où ça?» L'homme, un fonctionnaire du Quai, l'entraîna dans un petit salon à l'écart de la foule. Je ne les lâchai plus des yeux et pénétrai à mon tour dans ce salon, où se trouvait, seule, assise sur une chaise mordorée, une vieille dame, à qui l'on eût donné aisément quatre-vingt-dix ans, fragile, le teint diaphane, avec un hématome vert-violet sur le front. Jacques Chirac se dirigea vers elle, à pas lents, lui tendant une main à cinq mètres. « Madame Barre, comment allez-vous ? Je suis heureux de vous revoir. — Monsieur le président, est-ce bien vous ? » La veuve de l'ancien Premier ministre Raymond Barre semblait aveugle. « Je ne vais pas très bien, mon mari n'est plus là, c'est dur. Je suis tombée récemment et je me suis cassé la hanche, mais, heureusement, mes enfants sont là, ils m'entourent. » Chirac, tel qu'en lui-même, paraissait sincèrement touché par ce témoignage, tandis que son propre cas méritait toute la compassion du monde. Tout à son souci de réconforter la veuve de Raymond Barre, il se pencha vers elle, puisant dans ses dernières ressources et lui glissa : « C'est dur et j'en suis désolé. J'espère que vous êtes bien suivie. En tout cas, sachez une chose, si vous avez besoin de quoi que ce soit, je suis là. N'hésitez pas à m'appeler. » Et de faire demi-tour, péniblement, le visage ravagé par l'impuissance et la désolation.

Pour me décrire Jacques Chirac, Frédéric Salat-Baroux, son gendre, s'est mis un jour, alors que nous prenions un café dans un bistrot parisien, à entonner la chanson de Serge Lama *Mon ami, mon maître* : « J'ai essayé à cent reprises de vous parler de mon ami/ Mais comment parler d'une église dont l'accès vous est interdit ? » Chirac, une église ? Plutôt une cathédrale aux lourdes portes verrouillées et aux vitraux grillagés. A l'inverse de François Mitterrand, qui laissa le soin à d'autres d'écrire sa légende en se choisissant moult confidents – tout le monde a pu être un jour ou l'autre le confident de Mitterrand –, et de Nicolas Sarkozy, toujours enclin à réciter le roman de sa vie, Jacques Chirac nous laisse peu de fragments, peu de témoignages de son histoire personnelle. Il y a bien quelques documentaires, des photos jaunies et, bien sûr, les deux tomes savoureux de ses Mémoires[1], 1 200 pages au total. C'était son tribut à la postérité. Mais rien, ou si peu, sur sa nature ou sur les raisons de ses silences, sur ses complexes ou sur ses traumatismes de jeunesse.

Parler des autres pour éviter de parler de soi, telle était l'une de ses stratégies favorites. Et quand il parlait de lui, ce qui n'arrivait qu'à de rares moments, il semblait lire sa notice du *Who's Who*. Avec le plus grand naturel – et une pointe d'humour ? –, il pouvait rappeler à son interlocuteur qu'il avait été douze ans durant président de la République, comme si l'information était confidentielle. « Tu sais que j'ai été président ? » m'interrogea-t-il un jour. Rien ne l'exaspérait plus que de devoir se plier à l'exercice nombriliste de notre temps, l'éloge de son propre bilan. Jamais, devant moi, il n'a cherché l'article, le bon papier, celui qui dirait combien sa présidence fut grande, belle et salvatrice pour le pays. Si son entourage exigeait une relecture de ses interviews, lui s'en moquait. Un jour,

1. Jacques Chirac, *Mémoires* (tome 1, *Chaque pas doit être un but*, 2009 ; tome 2, *Le temps présidentiel*, 2011), Nil.

je lui ai fait remarquer cette propension à se sentir détaché de tout ce qui touchait sa personne, donnant même l'impression qu'on pouvait le traîner dans la boue sans que cela suscite chez lui le moindre sursaut d'orgueil. Il eut un sourire intraduisible. Du temps de sa splendeur élyséenne, il pouvait éructer contre un journaliste, mais c'était à Claude ou à Dominique de Villepin qu'il revenait de lui signifier sa disgrâce. « Je ne me suis jamais occupé de ça… Je n'ai jamais demandé un article favorable ou une complaisance de la part d'un journaliste », jurait l'ancien président. Il n'était pas Nicolas Sarkozy, qui savait décrocher son téléphone ou prendre à part un journaliste en marge d'un déplacement pour critiquer un article jugé par lui « dégueulasse ».

Quel effroyable secret cachait-il ? Quelle sincères désillusions taisait-il ? Quelle humiliation l'avait ainsi dressé contre lui-même ? On me disait : pour le comprendre, il faut chercher du côté du père, gaulliste modéré, fils d'instituteur, employé de banque devenu cadre supérieur chez l'un de ses prestigieux clients, Henry Potez, maître, avec Marcel Dassault, de l'aéronautique française. Jacques Chirac, fils unique adoré de sa mère – qui perdit une fille de

18 mois –, eut une enfance aisée. De ce père il me parla une fois. Il me confia combien Abel François Chirac fut fier de son « petit Jacques », après que celui-ci eut pénétré, en 1943, dans leur maison en feu pour récupérer une blague à tabac. « Ça l'avait drôlement impressionné ! » Pour justifier cette faculté d'« auto-évitement », nombre de ses biographes en ont déduit qu'il se détestait, que le dénigrement de sa propre personne était son passe-temps favori, que rien en lui ne trouvait grâce à ses yeux... Il se voyait tel un grand benêt et préférait qu'on le considérât ainsi. Or les Français ont découvert, malgré les faux nez, ses richesses culturelles insoupçonnées. Longtemps caricaturé les doigts en V, l'air niais avec ses lunettes aux verres extralarges, il était un authentique amateur d'arts premiers, de statuettes vaudoues et de masques africains ainsi que de civilisations éteintes. Il était un défenseur des peuples en voie d'extinction, un promoteur du multilinguisme. Un passionné. Sincère.

Pas du genre ramenard, Jacques Chirac n'a jamais usé de sa science pour impressionner le profane. L'« ignare » laissait entendre qu'il n'avait de centres d'intérêt que le sumo et les bières à la tequila. Or

« derrière la bière, il y a la grande France », selon Frédéric Salat-Baroux. Edouard Balladur et Valéry Giscard d'Estaing, qui aiment, eux, faire étalage de leur culture, se sont mépris sur son compte. Eux portaient haut le snobisme de ceux qui citent Chateaubriand en toute occasion. Les Français les ont jugés avec sévérité. Chirac jouait de cette différence. Il aimait la terre, les poèmes corréziens, les accolades, casser un œuf dur sur le bord d'un comptoir en zinc et exhibait volontiers sa virilité. Belle gueule, charisme inouï, sourire ravageur : il était un Français parmi les Français, malgré un mariage bourgeois, un château à Bity et un passage par l'ENA qui ne sautaient pas aux yeux.

François Mitterrand, lui, avait deviné le double jeu de son rival de droite. « Qu'est-ce qui vous transcende dans la vie ? » a-t-il un jour demandé à celui qui était son Premier ministre et qu'il considérait « sympathique et courageux, humainement le mieux de tous[2] ». Chirac évoqua la beauté à la fois céleste et minérale des temples bouddhistes. Une réponse qui conforta Mitterrand dans l'idée que ce grand gaillard n'était pas bon

2. F.-O. Giesbert, *Le Vieil Homme et la Mort*, Gallimard, 1996.

qu'à la manigance politique. La propriétaire de Tong Yen, un restaurant asiatique situé à quelques mètres de l'Elysée, a elle aussi été surprise de découvrir l'immense savoir de son fidèle client sur l'Asie. Membre du Jury impérial japonais, un honneur qu'il taisait, l'animal n'était donc pas l'inculte qu'elle croyait, tout juste apte à se remplir la panse de crevettes sel et poivre et de canard laqué. Il n'a jamais été un grand pédagogue, ni même désireux de dévoiler ses passions. Il pouvait lire un chef-d'œuvre d'une grandeur sans égale et n'en rien dire à personne. Rendre compte d'une lecture, pour quoi faire ? Il gardait pour lui sa science, sans aucune volonté de transmettre, encore moins d'en faire étalage. Et pourtant. Longtemps, il a suivi de près les travaux de restauration des musées dévastés du Vietnam. Il était intarissable sur l'armée de terre cuite de l'empereur chinois Qin Shi Huang, exhumée à X'ian après plus deux mille ans. Les légendes des peuples Inuit et Tainos le transportaient. Il mettait sur le même plan une statuette fétiche vaudoue du Bénin et un Rembrandt, *Le Dit du Genji*, qui est le premier grand roman japonais écrit au XIe siècle, et *A la recherche du temps perdu* de Marcel Proust. Il aimait brandir haut le bâton de guerre offert par le chef des Zoulous d'Afrique du Sud, comme admirer de près le cheval Tang, cousin de celui de Pompidou, qui trônait sur une table basse de son bureau à la Mairie de Paris. Où l'on devine ces longues heures à errer dans les salles du musée Guimet et à converser avec son ami le collectionneur Jacques Kerchache, mort en 2001. On raconte qu'il cachait dans un tiroir fermé à double tour, à l'époque où il était Premier ministre de Valéry Giscard d'Estaing, un recueil de poèmes russes, qu'il consultait le soir venu, quand Matignon se vidait de son personnel. Il aimait les poèmes de Saint-John Perse et de René Char, mais se gardait d'en parler, encore plus d'en déclamer des vers. De même traînait-il quelquefois une serviette en cuir marron, fripée et rongée par le temps, qu'il serrait bien fort sous le bras et dans laquelle il conservait précieusement des notes de plusieurs feuillets sur l'origine de l'homme, toutes rédigées de sa main. Nul n'avait le droit de les lire. C'est l'époque où il songeait, par moments, arrêter la politique pour reprendre un magasin d'antiquités en Corrèze. Il refusait les éloges et ne lisait que rarement les livres et les articles qui lui étaient consacrés. Jamais il ne s'est reconnu dans les portraits, nombreux, qui ont été faits de lui. Au départ, il voulait être militaire, « carrière plus conforme à mes aspirations », disait-il. Et pour cause. Il n'aurait été qu'un matricule, un soldat sous un uniforme kaki, chamarré ou non d'ailleurs, attendant de percevoir sa solde mensuelle, juste assez pour se ravitailler en cigarettes. Le tout au service de la France. Un grand muet.

On s'est réveillé un matin laiteux de juin 2008. Le trac au ventre, on a avalé difficilement un petit-déjeuner. On a enfilé sa chemise la plus blanche, sa veste la plus noire. La veille, on avait préparé les questions, testé mille fois le dictaphone et gribouillé sur une feuille deux ou trois sujets de plus à aborder. J'avais rendez-vous avec Jacques Chirac. Mon journal avait été désigné par lui pour la publication des « bonnes feuilles » du premier tome de ses Mémoires. Pourquoi nous ? Parce qu'il aimait ce magazine, qu'il lisait – en réalité, survolait – régulièrement, avec une préférence pour la rubrique « Panne et Forme », qu'il commentait à haute voix et souvent avec amusement. Parce qu'il ne se voyait pas, également, faire le cadeau des meilleurs extraits de son livre à un autre hebdomadaire que celui de son ami François Pinault, qui en est le propriétaire. Où l'on voit que Jacques Chirac n'avait aucune rancœur à l'endroit d'un journal qui lui consacra, naguère, nombre de unes critiques sur son bilan, son manque d'audace, son style endormi. Claude Chirac, qui négociait la parution des extraits avec d'autres magazines, tout comme son éditrice, Nicole Lattès, n'eurent donc d'autre choix que de se plier à la volonté de l'auteur. Ce serait nous ; ce serait moi. L'exclusivité ne nous suffisait pas. Outre les bonnes feuilles du livre, j'avais pour ambition d'écrire un article sur sa nouvelle vie, un autre, en racontant son quotidien rue de Lille. Compte tenu de cette collaboration exceptionnelle, on m'accorda la faveur, tout aussi exceptionnelle, de rencontrer Jacques Chirac.

J'arrivai dix minutes avant l'heure dite. En sortant de la bouche de métro Assemblée-Nationale, qui a conservé son édicule Guimard, et après avoir fait quelques mètres sur le boulevard Saint-Germain, j'ai tourné à gauche. J'allais enfin franchir le seuil du 119 de la rue de Lille, antre mystérieux et interdit à bien des journalistes politiques. J'allais enfin pouvoir me diriger avec assurance vers l'interphone et me présenter vaillamment à la secrétaire qui répondrait, sans craindre le regard menaçant de l'agent de sécurité qui pouvait rôder en face. Depuis sa retraite de la présidence, Chirac ne voyait plus guère de journalistes, en dehors de Philippe Goulliaud, un ancien de l'AFP devenu rédacteur en chef au *Figaro*, chiracologue en chef, à l'origine de bien des « scoops » sur l'ancien hôte de l'Elysée. Jean-Pierre Elkabbach, proche du couple Chirac et ami du gendre, Frédéric Salat-Baroux, lui rendait parfois visite. Il s'entretenait également avec la spécialiste du Vatican pour *Paris Match*, une proche de Bernadette, qui n'était pas Valérie Trierweiler, dont il appréciait le charme et le sérieux. Arrivé au deuxième étage de cet immeuble bourgeois du VIIe arrondissement dont l'escalier était tapissé de pourpre, je sonnai à la porte. J'entendis les bruits de talons d'une femme. C'était Bénédicte Brissart, l'attachée de presse. Je ne l'imaginais pas ainsi. Dans mon esprit, elle avait dix ans de plus, portait un chignon désordonné, un gilet jacquard et d'épaisses lunettes. J'avais tout faux. Elle était jeune, son timide sourire et ses traits doux la rendaient aimable, mais elle ne semblait pas non plus du genre à tirer profit de ses beaux yeux bleus pour charmer le journaliste. Elle me pria d'entrer et de patienter deux minutes dans un couloir, m'indiquant une banquette où m'asseoir. Ce qui, tout de suite, attira mon attention ? Non pas les catalogues, nombreux, sur les arts premiers, disposés sur une table basse, mais le silence. Pas une sonnerie de téléphone, pas un éclat de voix, aucun va-et-vient intempestif. Juste un parquet qui craque, sans que personne n'ait bougé. Quelques bruits de voitures provenant de l'extérieur. Un toussotement jaillissant de nulle part. J'avais bel et bien rendez-vous avec un retraité. Soudain, une porte s'ouvrit. Une silhouette apparut : Alfred Hitchcock et Jacques Chirac ont ceci en commun qu'il est aisé de les reconnaître instantanément à leur profil. L'ancien élu de la Corrèze était toujours précédé d'un magnifique nez, long et symétrique, aux narines bien ouvertes et peu poilues, marqué d'une verrue brune à l'orée de l'aile gauche. Nez qui aurait pu aisément être l'œuvre d'un sculpteur sur bois africain. Il vint vers moi avec un large sourire, me tendant une main qu'il avait grande et sèche. Il patinait plus qu'il ne marchait. De son autre main, pressée contre mon omoplate, il m'entraînait vers son bureau. J'espérai de tout cœur le voir en tête-à-tête. Il n'en fut rien. Bénédicte Brissart suivait, accompagnée d'un conseiller en charge des questions intérieures, Hugues Renson. Ce dernier portait une fine barbe, plus travaillée que négligée. Taquin, le président se tourna vers moi : « Ne lui en veuillez pas, il est toujours mal rasé. » Nous prîmes place dans un petit salon d'angle, assis dans un ensemble canapé et fauteuil en cuir. On me servit un café. Chirac était entouré de ses deux collaborateurs, soit deux paires d'oreilles au service de Claude Chirac. J'expliquai au président les raisons de ma présence, ma volonté de rédiger un article qui accompagnerait les bonnes feuilles de ses Mémoires. En voyant Bénédicte Brissart déposer un petit tas de fiches bristols sur la table basse qui nous séparait, j'eus soudain un mauvais pressentiment. Je venais de comprendre qu'il ne s'agissait plus d'une interview avec ce que cela suppose de spontanéité et de fraîcheur, mais d'un pur exercice de récitation. Intérieurement, j'enrageai. Nous n'étions d'ailleurs pas quatre dans ce bureau, mais au moins une dizaine, en comptant les statuettes africaines et autres bois sacrés, obsédants et effrayants avec leurs têtes longues et leurs sexes à l'air, qui peuplaient le mobilier. Sans parler des photos, nombreuses elles aussi, éparpillées aux quatre coins de la pièce. Ici, Simone Weil; là, Martin, son petit-fils, plus loin, Pompidou, et encore plus loin Bernadette. Un décor mêlant ce qu'il y a de plus primitif – du bois, du cheveu humain, de la pierre du Bénin... – et un mobilier épuré, cubique et plastique façon Starck, dont la modernité était parfaitement mise en valeur par cette moquette largement zébrée. Lui n'avait rien de spectral, il faisait tout bonnement papy avec son pantalon ceinturé, comme toujours, à mi-ventre. Il portait des mocassins dont l'usure prononcée aux semelles m'avait déjà interpellé le jour de la remise de décoration de Marie-Hélène Bérard. A la Mairie de Paris, le week-end, il lui arrivait de recevoir en survêtement, de jeter lui-même une bûche dans la cheminée. Chirac n'a décidément jamais été un adepte du dandysme. Rares sont les instants où il s'est intéressé à la coupe d'un costume ou au moelleux d'une écharpe. Les femmes qui l'ont connu remarquaient davantage son charisme que ses tenues. Persuadé qu'il fallait commencer l'interview par un sujet noble, qui ne serait en rien pour lui anxiogène, j'évoquai d'emblée les raisons qui l'avaient conduit à créer une fondation. A la façon d'un joueur de tarot, il tira une fiche de son petit tas. Et il se lança, parlant mécaniquement, sans intonation, ainsi qu'à ses plus belles heures, un bristol en lieu et place de prompteur. Au bout de cinq minutes, j'abandonnai la partie, les relances étant vaines, voire impossibles. Un calvaire. Mon attention se porta davantage sur sa gestuelle que sur son propos, long et convenu, noyé dans un flot de belles intentions. Il répétait : la paix, les peuples, la solidarité, le dialogue, la générosité, la fraternité... Du lexique chiraquien dans ce qu'il a de plus orthodoxe. Qu'importe. Jacques Chirac appartenait à cette race d'hommes que l'on regarde parler. Il n'a jamais été un grand orateur. Il préférait brailler dans un micro – dont il avait la raideur dans ses jeunes années – devant un parterre de militants RPR, plutôt que de titiller les tripes et l'esprit en incarnant ses discours, en faisant des pauses, des respirations, des pirouettes, des figures de style, des références à l'histoire, mieux, en improvisant. Il était étranger à cette manière oratoire. Il avait néanmoins une voix et une présence. Et ça, même si ça se travaille, ça n'est pas offert à tout le monde. Jacques Chirac avait une formidable présence. Les spécialistes des grands gorilles d'Afrique évoqueraient volontiers une forme de mesmérisme, c'est-à-dire un magnétisme animal qui vous fige, neutralise votre attention, et provoque en vous une somnolence qui ne relève pas du sommeil, mais de l'hypnose. Question de fluide, de physique aussi. L'envergure chiraquienne devait facilement tutoyer le mètre quatre-vingts. La voix. Sa voix ne trouvait pas sa source dans la gorge, mais dans l'estomac. De ce point de départ, le son n'en était que plus grave, chevrotant, ou plutôt vibrionnant, au passage du cou, et enveloppant une fois sorti de la bouche. Une voix de saxo. Même assis, jambes croisées, il ne pouvait s'empêcher de basculer de l'avant vers l'arrière, une main vers moi, l'autre en appui sur l'accoudoir, l'index sur le pouce pour marquer l'autorité du verbe. Il lisait sa fiche, posée en équilibre sur le genou, le regard en biais, cherchant par moments la bonne inclinaison de la nuque. Sans doute une des conséquences de son AVC, qui, dans certains cas, altère aussi la vue. Après de longues minutes d'une logorrhée ennuyeuse, je tentai une question de politique intérieure. Quel regard portez-vous sur l'action de votre successeur, Nicolas Sarkozy ? Silence. Dans les yeux de Bénédicte Brissard, je décelai une gêne, pour ne pas dire un certain effroi, à l'idée d'entendre son employeur dire du mal de celui, et ce n'était pas un secret, qui lui répugnait. « Vous connaissez bien la règle que je me suis fixée dès mon départ de l'Elysée. Cette règle, c'est de ne faire aucun commentaire sur l'action ou les propos de mon successeur. Et de ne pas m'immiscer dans le débat politique », rétorqua-t-il, pour le coup sans lire ses fiches, au grand soulagement de sa collaboratrice. Il ajouta, ce qui me donnait le sentiment d'avoir affaire à un automate : « C'est dans ma nature, et c'est pour moi un principe sage et républicain qui va de soi. » L'entretien dura environ une heure. Il y avait du bon et du moins bon. A la vérité, j'étais bredouille, mais que pouvais-je attendre d'un président malade, connu pour son extrême réserve et dont le successeur appartenait à sa famille politique ? En me raccompagnant jusqu'à la porte, il se résolut à me confier un détail personnel : le titre de sa lecture du moment. *Le Bonheur selon Confucius, petit manuel de sagesse universelle*. J'ai bien cru qu'il me narguait.

Le secret autour de sa personne suscitait beaucoup d'interrogations, y compris dans mon entourage. On me téléphonait pour savoir quel était son état. On me questionnait sur sa surdité et sur ses fameux « petits pas », dont je disais souvent qu'ils étaient exagérés. C'est un fait, une entorse blasphématoire à tous les codes du journalisme, je défendais Chirac contre la rumeur. Devant les plus curieux, je minorais son mal, je relativisais les ravages de l'âge sur son physique, avec l'aplomb d'un vieil ami protecteur que je n'étais pas. Aux autres, à ceux qui montraient de l'empathie et qui venaient à moi sans cet air de croque-mort avide de nouvelles macabres, je disais la vérité. Ma vérité, sur « mon » Chirac. Il n'était plus président de la République, plus aux affaires de la nation, plus du tout détenteur des codes nucléaires et rien ne me contraignait à révéler ce que je voyais de son mal.

Toute sa vie, on l'a dit fauve, proche du lion. Personnellement, il me faisait plutôt penser à un oiseau, un prédateur de l'espèce des aigles royaux, comme les cimes de Corrèze n'en ont jamais connu. Bien sûr, l'œil n'était plus aussi vif, les serres ne le supportaient plus et les ailes battaient la poussière sans aucune impulsion. Après avoir dominé les cieux durant tant de décennies, l'oiseau était en fait à terre, blessé, et se montrait craintif. La faute à cet AVC survenu en 2005. Il n'était lui-même qu'auprès d'une escouade d'amis devant lesquels il osait encore glatir, sourire franchement, faire preuve d'une légère spontanéité sur ses sentiments. L'étranger, aussi inoffensif soit-il, était un danger, forcément quelqu'un qui en voulait à ses secrets. Aussi fallait-il serrer l'aigle Chirac dans ses mains, le réchauffer dans un vieux lainage et le laisser prendre doucement confiance. Préliminaires indispensables. C'est en tout cas ce que j'ai compris de lui. Si la bienveillance vis-à-vis de ce taiseux encourageait la jovialité, elle ne suscitait aucunement les confidences entreposées dans ce qui est pour nous un cœur et pour lui un coffre. Famille ou amis, anciens collaborateurs ou vieux compagnons de route politiques, chacun a son Chirac, modelé au gré de ce qu'il donnait à voir et à comprendre de lui-même.

On le croyait authentique quand il amusait la galerie, souvent à grand renfort de blagues grivoises. Ce n'était en fait qu'un paravent, un scaphandre ouvert à l'entrejambe. Son AVC, même son AVC, ne l'aura pas conduit à se dévoiler, à contrer sa nature, à être plus Jacques et moins Chirac. Il y a toujours eu de la passion chez cet homme, trop de passion, trop d'emballement, de la démesure en tout et même de l'amour, qui n'arrivait pas toujours à se faire jour dans ses actes ou ses paroles, parce qu'une faille inhibait l'expression du sentiment. Se taire sur soi-même, refouler, refouler, toujours refouler, telle a été sa vie. D'où cette constante attention pour l'autre, qui fut le fait d'une âme trop pleine et incapable de se livrer.

Quand, à la suite de son AVC, sa libido prenait les commandes de son grand corps malade, il se muait en garnement. Il avait soudain huit ans et ne s'imposait aucune limite. D'un mot, il était capable de faire rougir n'importe quel vieux loup de la braguette. Ce Chirac-là en amusait certains, et d'abord ceux qui se délectaient de ses sorties pour mieux les rapporter ensuite. Il faut reconnaître que l'ancien président leur fournissait matière à animer leurs dîners. Il a toujours, il est vrai, cherché le bon mot du côté de la culotte. Avec l'âge et les conséquences de sa maladie, la digue entre les domaines public et privé s'est effritée. O combien docile, il obéissait aux humeurs et aux chatouillements de son bas-ventre, qui avait, à l'évidence, encore faim de jolies jeunes femmes. Qu'il y ait une caméra ou non, que son interlocutrice soit prestigieuse ou modeste, quand sa souveraine envie se réveillait, il le clamait avec plus ou moins de formes. La séquence du « Petit Journal » de Canal +, durant laquelle il charma avec force clins d'œil la vice-présidente du conseil général de Corrèze, Sophie Dessus, alors que Bernadette Chirac était assise à moins de trois mètres de lui, est révélatrice de cette désinhibition. Hétéro-prédateur, il aimait les femmes, les blondes en particulier. Mais ce Chirac-là n'était à l'évidence pas le meilleur sujet d'observation. La tristesse l'emportait d'ailleurs toujours devant le spectacle d'un homme affichant un tel appétit sexuel, qu'il ne pouvait pas, de surcroît, assouvir – c'était là, peut-être, son véritable drame. Parfois, j'avais le sentiment qu'il jouait, qu'il aimait être cette caricature à la langue pendante si bien croquée par Cabu. C'était à croire qu'il ne connaissait rien de plus jouissif que de voir, en direct, l'impact de son humour sur son interlocuteur, surtout quand celui-ci manifestait une certaine pudibonderie. Les rires gênés et les mines offusquées le faisaient jubiler. Oui, un garnement. Retrouvait-il dans ce personnage libidineux le souvenir de cette époque bénie où il honorait les femmes, les plus belles, en « cinq minutes, douche comprise » ? Souhaitait-il par cette attitude « en roue libre » dire merde à la terre entière, comme un môme ferait une grimace devant un gendarme ? Pour le contraindre à réfréner ses ardeurs, ses proches évoquaient devant lui la postérité, sa trace dans les livres d'histoire, son statut d'ancien président. Il répondait par un haussement d'épaules.

Un jour que je lui rendais visite à son bureau, il me demanda si j'étais heureux dans la vie. « On ne peut plus heureux, ai-je répondu. — Et les amours ? a-t-il poursuivi. — Je n'ai pas à me plaindre non plus. » Silence. « Ah, si pour les amours, tout va bien... Vous avez donc le zizi en trompette ! » Devais-je en rire ou m'en offusquer ? En redemander ou m'en aller ? Ce jour-là, c'était à mon tour d'être dur d'oreille. J'ai jeté un œil sur mon carnet de notes et fait mine de ne pas avoir entendu. Le mal, pourtant, était là, palpable, sur son visage de rides et de mélancolie. Sur ses sourcils broussailleux, gris et noirs. Dans ses petits pas mal assurés... Fier comédien, il était évidemment le seul à ne rien voir. Et lui, comment allait-il ? Il répondait souvent : « Très bien ! Pourquoi ? »

Le réduire à ce pittoresque personnage serait injuste. Car, quand il le voulait et quand lui seul le souhaitait, Chirac savait faire bonne figure, se concentrer, se contenir, redoubler d'élégance à l'endroit d'une femme, sans jamais l'appeler « pupuce » ou la dévêtir du regard. C'était l'autre Chirac. Celui dont l'expression était empreinte de gravité, comme habitée, celui dont la commissure des lèvres tombait telle une fleur fanée quand il voulait exprimer un désarroi. C'était Chirac qui écoutait, qui aidait. L'écoute est une assistance, l'écoute est politique, le fondement même de la politique. Il l'avait compris avant et mieux que n'importe quel autre énarque de sa génération. Il n'était pas le meilleur par la magie de son seul charisme ou par la beauté de son profil. Il était le meilleur parce que toujours dans l'écoute. Ses oreilles avaient des mains.

Il fallait le voir à l'œuvre pour comprendre son attraction sur les masses. Il fallait le voir tendre l'oreille vers son interlocuteur, tandis que son mètre quatre-vingt-onze se voûtait pour se mettre à hauteur d'homme, sa main allant au contact et ses yeux se plissant de compassion. Qu'on aurait aimé se blottir contre lui, se laisser envelopper, sûr de voir nos maux soudain disparaître ! Cet homme avait de la profondeur et pas seulement du vécu. Cette profondeur ne s'exprimait jamais par le verbe, mais par le geste. Peut-on humaniser à ce point un double président de la République ? Comment rendre chaleureux un homme qui toute sa vie a été un tueur froid, inapte aux sentiments politiques ? Ses victimes se comptent par cimetières. On l'a décrit, à raison, comme impitoyable. Où qu'il fût, il ne marchait jamais seul, son ombre inspirait la terreur. En un mot ou une signature, en un geste ou une moue, il condamnait un individu aux oubliettes. Je me souviens de Philippe Séguin. Lui, l'ami Philippe, le sentimental, sans doute parce que oriental, pupille de la nation, « petit Chose » devenu grand, qui a pris, sans la voir venir, une balle entre les deux yeux. Pour Chirac, Alain Juppé était « le meilleur d'entre nous ». La nomination de Juppé à Matignon, en 1995, alors que beaucoup attendaient Séguin, n'était rien en regard de cette sentence. Juppé, le meilleur d'entre nous. Voilà comment un homme dévoué, sincère, refusant la complaisance, un talent sans pareil au sein de la droite gaulliste, pourvoyeur d'idées et de discours durant la campagne de 1995, a été biffé de l'histoire. Une histoire qui relevait d'ailleurs de l'aventure, quand on se remémore les sondages d'Edouard Balladur, le donnant vainqueur trois mois avant le scrutin présidentiel. Longtemps, l'ancien député RPR, ombrageux et susceptible, en a voulu à Chirac. « Je lui chie à la gueule ! » pestait-il quand on évoquait devant lui le nom de celui qu'il regardait, jadis, avec une immense affection. Pour l'eurosceptique Séguin, l'Allemagne et son chancelier Kohl avaient forcément demandé à Chirac de nommer l'européiste Juppé à Matignon. Jamais Chirac, de lui-même, n'aurait pris une telle décision. Ainsi Séguin se rassurait-il, refusant de voir la véritable nature de son compagnon de route. L'âge aidant, les plaies se refermant, l'ancien maire d'Epinal a mis de l'eau dans son irish coffee, une de ses mixtures favorites. En 2007, alors qu'il se trouvait au soir de sa vie politique et, sans le savoir, au soir de sa vie tout court, il décida de renouer avec Chirac. L'AVC de l'ancien président, survenu deux ans plus tôt, l'avait profondément ému. Aussi lui avait-il fait parvenir un mot de soutien. La paix était actée. Dans le second tome de ses Mémoires, Chirac, qui fut très affecté par la disparition en janvier 2009 de son ancien compère, a tenu à dresser de lui un portrait flatteur : « Peu d'hommes ont aussi bien incarné la République que Philippe Séguin. Grand serviteur de l'Etat, il aimait la France. » Dans le premier tome, il rendait déjà un bel hommage à Séguin, malgré son épouvantable caractère. Adepte des petits mots manuscrits quand il voulait exprimer une gentillesse et du téléphone quand il souhaitait éructer, Séguin lui avait envoyé une carte au ton taquin : « D'où tenez-vous que j'ai mauvais caractère ? Bien amicalement. Philippe. » Trouvant un prétexte pour enfin lui parler, Jacques Chirac appela celui qui occupait alors la fonction de premier président de la Cour des comptes. L'échange dura une dizaine de minutes. On prit des nouvelles des femmes, des enfants, on parla de la vie, de quelques projets en cours. « Pour ton mauvais caractère, répondit Chirac, sache que je ne fais que lire la presse. Pour ma part, ce mauvais caractère, je ne l'ai jamais constaté... » Ils se mirent à rigoler. Quelques semaines plus tard, ils se voyaient au 119, rue de Lille. A la grande surprise des collaborateurs de l'ancien président, Séguin arriva avec une liasse de photos sous le bras. Des photos d'époque, de Chirac et de lui. Jacques en dédicaça quelques-unes à son « cher Philippe, en souvenir d'une époque de conquête ». Et d'ingratitude ! devait grommeler intérieurement le brave Séguin.

C'est un mystère que je n'ai jamais réussi à élucider, malgré mes questions incessantes, mes ruses grossières, mes relances obstinées. Il m'était impossible de comprendre l'origine de la brouille entre Charles Pasqua et Jacques Chirac. Une amitié de plus de trente ans interrompue comme ça, soudainement, pour on ne sait quelle raison. En 1995, à la surprise générale, Charles Pasqua, tout-puissant ministre de l'Intérieur, véritable poids lourd de la droite, se ralliait à la candidature d'Edouard Balladur. Nicolas Sarkozy, l'âme damnée de Balladur, recruteur et débaucheur en chef du candidat, s'appropriait les mérites de ce ralliement. Qu'est-ce qui avait donc conduit le gaulliste social Pasqua, partisan du non à Maastricht, politiquement et humainement beaucoup plus proche du « rad-soc » Chirac, à défendre la candidature du Premier ministre sortant, européiste et libéral, majesté deauvilloise le week-end, courchevélienne à Noël et bien souvent méprisante vis-à-vis des autodidactes et des Terriens de tout acabit ? Pasqua a beaucoup aimé Chirac et, proportionnellement, beaucoup haï Dominique de Villepin. J'ai compris que l'ancien secrétaire général de l'Elysée n'était pas étranger à cette rupture. Pasqua lui reproche encore d'avoir tout fait pour saboter sa propre candidature à la présidentielle de 2002. J'ai compris, aussi, que ce gaulliste social, capable de sentiments, ne souhaitait tout bonnement pas trahir Balladur. L'ancien ministre de l'Intérieur estimait avoir un devoir de solidarité vis-à-vis du chef de gouvernement – même si Balladur et lui ne se mélangent pas mieux que l'huile et l'eau.

Lors de nos entretiens, assis dans le cadre boisé de son bureau du 100, avenue Charles-de-Gaulle à Neuilly, il m'arrivait de donner à Charles Pasqua des nouvelles de son vieux complice. Parfois, c'est lui qui abordait le sujet, l'air de rien, profitant du moment où j'ajustais mon dictaphone et testais mon stylo, pour s'enquérir de la santé de Chirac : « Vous avez des nouvelles de Chirac ? Comment va-t-il ? » Il ne pouvait, ensuite, s'empêcher de baisser les yeux, de plisser très fort la bouche, d'agiter la tête, en soupirant : « C'est malheureux. »

Dans le cadre d'une interview, je lui demandai les raisons qui l'avaient conduit à soutenir Edouard Balladur contre Jacques Chirac en 1995. Il évoqua l'organisation d'une primaire commune à l'UDF et au RPR pour désigner le candidat de la droite et du centre à laquelle Chirac refusa de se soumettre. Puis, au sujet de Balladur, l'ancien ministre de l'Intérieur déclara : « J'avais expérimenté la capacité d'Edouard Balladur à défendre les intérêts français à Bruxelles et à tenir tête à François Mitterrand. On avait fait une mauvaise analyse du caractère de Balladur. C'est un homme beaucoup plus déterminé qu'on ne le dit. »

Pour moi, là n'était pas la vraie raison de la rupture entre Chirac et Pasqua. Ses explications me paraissaient un peu légères pour l'homme de convictions qu'est Pasqua. Un jour, son œil a brillé, j'ai même cru y déceler de la tendresse, à l'évocation de leur passé commun. J'insistai sur leur camaraderie, sur les cent coups montés par ces deux stratèges, sur la fondation du RPR et leurs fréquentations communes. J'ajoutai qu'il était impossible de tirer ainsi un trait sur une telle histoire, malgré les déceptions et même les trahisons.

Charles Pasqua a soudain posé la main sur mon avant-bras. Il semblait connaître un passage à vide, une sorte de vertige. Mon avant-bras lui évitait la chute. Après quelques secondes d'absence, il a souri, m'a dit que tout allait bien et s'est rapproché de mon oreille. Je ne sais pourquoi, il a tenu à me raconter une anecdote sur la manière dont il avait protégé Chirac de la traque de Bernadette. Quand elle n'arrivait pas à joindre celui qui lui faisait office de mari, Bernadette Chirac appelait toujours Charles, car Charles, forcément, devait être à ses côtés. Charles décrochait son téléphone quand elle l'appelait, mais Jacques était ailleurs. La loi du silence étant inscrite dans ses gènes, Pasqua ne livrait jamais rien de compromettant pour son ami. Il savait Chirac en charmante compagnie, sûrement déjà sous de beaux draps, à l'heure où Bernadette se faisait un sang d'encre. « Charles, savez-vous où est mon mari ? Je n'arrive pas à lui parler. » L'épreuve était psychologiquement plus dure, raconte l'ancien premier flic de France, qu'un interrogatoire de police. Il était primordial pour lui de ne pas bredouiller, de ne surtout pas laisser transparaître une quelconque confusion dans le propos. Le bon Charles, d'une voix assurée et colorée, inventait une réunion de section RPR à Cornillé-les-Caves, au fin fond du Maine-et-Loire, pour justifier l'absence de Chirac. Le lendemain, militant pour la paix du ménage, Pasqua avait coutume de sermonner le découcheur.

Entre eux, il y avait de l'amitié, de la méfiance, mais plus que tout, de l'humour. Dans les années 1980, en marge d'une université d'été du RPR, ils se racontaient leurs lectures estivales. Pasqua a confié avoir lu *Le Don paisible* de l'écrivain russe Mikhaïl Cholokhov, une épopée sur la vie des Cosaques au cours de la Première Guerre mondiale. Réplique de Chirac : « Ben ça alors, Charles, moi qui te croyais amateur de cahiers de coloriage ! » Pasqua : « J'ai du respect pour toutes les lectures. On peut lire *Le Don paisible* et des cahiers de coloriage, mais aussi des revues coquines comme celles que tu stockes dans le deuxième tiroir de gauche de ton bureau. » Indéniablement, Pasqua était l'homme le mieux informé de France.

De son propre aveu, ces années de complicité ne lui ont pas permis de cerner la véritable personnalité de Chirac. Il connaissait, bien sûr, le Chirac pulsionnel à l'incroyable instinct de survie politique, celui du RPR et de la Mairie de Paris – en somme, celui que nous connaissons tous. Il a vu de près les trahisons, ri aux blagues qui se faisaient au dépens du « connard » du bureau d'à côté, vécu les années de conquêtes et de défaites. Mais le brave Charles, qui toute sa vie a dirigé et promu des hommes, depuis ses débuts dans la Résistance sous le pseudonyme de « Prairie », jusqu'à son passage au ministère de l'Intérieur et sa présidence des Hauts-de-Seine, admettait ne pas bien connaître Chirac. Cet aveu me rappelait celui de Bernard Billaud, le directeur de cabinet de l'ancien maire de Paris, qui disait : « Je me suis toujours demandé ce qu'il y avait au fond de Chirac. Je dirais : le néant. »

Ma déception ravalée, j'eus l'idée de les faire se rencontrer. J'avais soumis mon projet aux collaborateurs de l'un et de l'autre, qui s'étaient montrés assez enthousiastes. Pasqua n'était pas contre le principe de faire un saut au 119, rue de Lille, prêt à poser un épais mouchoir sur son *orgogliu* (orgueil, en corse). Quand j'ai demandé à Jacques Chirac ce que lui inspirait l'idée de revoir Pasqua, il a répondu, quelque peu mélancolique et prenant un instant l'accent corse : « Charles Pasqua ! Monsieur Charles Pasqua, je l'aime beaucoup... Je le verrais volontiers. Ah, Charles Pasqua... » Et il répétait son nom inlassablement. Il avait parlé de lui pas plus tard que la veille à son ami et grand patron, Marc

Ladreit de Lacharrière. Pour une rencontre, comme pour un entretien journalistique, il fallait l'aval de Claude ou celui de Bernadette. En août 2012, aux obsèques de Patrick Ricard en l'église Saint-Sulpice à Paris, Pasqua croisa l'ancienne première dame et lui proposa de prendre un petit-déjeuner prochainement avec son mari. « Bien sûr, ça lui fera très plaisir, j'en suis sûre... » répondit-elle, laissant entendre qu'elle s'occuperait elle-même d'organiser la rencontre. Les deux hommes se reverront seulement en mars 2014. Les retrouvailles eurent lieu dans un restaurant parisien, chez Marius et Janette. Etaient présents Chirac, Pasqua et leurs épouses. A plusieurs reprises, l'ancien président prit la main de Jeanne Pasqua pour lui dire combien son mari et elle allaient « bien ensemble ». On se remémora quelques souvenirs, quelques amitiés. L'ambiance était pesante. Charles Pasqua peinait à cacher sa gêne, sa tristesse. Il ne reconnaissait plus son ami, son Jacques, qui n'avait plus rien de fringant. En outre, il n'appréciait pas les regards de leurs voisins de table sur Chirac. Il en voulait à Bernadette d'avoir organisé ce dîner dans un restaurant et non chez eux, quai Voltaire, à l'abri des voyeurs et des murmures. « C'est malheureux, répétait Charles. C'est malheureux. »

Longtemps, pour ses supposés pouvoirs de guérisseur, ses amis l'ont surnommé « le Marabout ». Jacques Chirac était, il est vrai, plus chaman que psychologue. Le moi, le surmoi, Freud, Lacan et leurs théories, il n'en avait que faire. Une psychanalyse, à coup sûr, l'aurait tué. Il croyait aux vertus du cœur et moins aux pleurnicheries de l'âme. Il haïssait la souffrance et estimait que les douleurs, les plaies, les nœuds à l'estomac devaient être soulagés dans l'instant et il ne comprenait pas que l'on prenne le temps de chercher une racine au mal ou un traumatisme enfoui. Il fallait panser la douleur, non la penser.

Devant le noir spectacle de la maladie, bien souvent, la tentation est de détourner le regard pour ne pas voir la déchéance physique ou cérébrale d'un être cher, dont on voudrait garder une image heureuse. On m'a dit de Jacques Chirac qu'il ne se mettait jamais à son propre chevet, encore moins en public. Qu'il n'était pas du genre à râler, à se plaindre ou à maudire la douleur, tel que le faisait, parfois sans retenue ni pudeur, François Mitterrand. Mais, dès lors qu'il savait l'un des siens frappé par la maladie ou en proie à un drame personnel, il se faisait un devoir d'être présent, d'agir, de décrocher son téléphone et de prier ses dieux. « Moi, chaque fois que je vais à l'hôpital, même pour le plus petit des examens, j'ai droit à mon coup de fil de Jacques », me dit un jour Pierre Mazeaud, un gaulliste pas du genre douillet. Johnny Hallyday pourrait en dire autant, lui qui fut opéré de la hanche en 2011 et qui trouva, à son réveil, un message de soutien de Chirac. C'est sur le visage chagrin de l'ancien président que se posa le dernier regard d'Henri Cuq, le « père Cuq », qui fut son ministre mais avant tout son ami, un ami de longue date, mort des suites d'un cancer en 2009. Jusqu'au bout, Chirac lui rendit visite à l'hôpital, le priant de tenir bon, le faisant sourire par instants. Il se sentait toujours très concerné par la mort, et pas seulement quand elle frappait un vieux compagnon.

Au mitan des années 1990, l'ancien maire RPR de Mantes-la-Jolie, Pierre Bédier, fut victime d'un grave accident de voiture. Il tomba dans un coma profond et il était évident pour ses proches qu'il ne pourrait sortir indemne d'un tel accident. Alors à l'Elysée, Chirac tint à lui rendre visite, au plus vite. Une fois à l'hôpital, tel un soigneur des premiers secours, il fit sortir femme, enfants et infirmières de la chambre, demandant à rester seul, un instant, avec son ami, alors sous perfusion. Nul ne sait ce qui se passa dans cette chambre durant près de dix minutes, mais les proches de Bédier furent certains d'une chose : Chirac n'était pas étranger à son réveil dans la journée. Selon le témoignage du miraculé, Chirac lui aurait murmuré des mots à l'oreille. Des mots dont on ne sait rien.

Quand, en 2006, un avion avec à son bord de nombreux touristes français s'écrasa à Charm-el-Cheikh, en Egypte, il se rendit sans attendre à Orly, auprès des familles des victimes. Sur place, il demanda à l'un de ses collaborateurs d'évacuer les caméras qui rôdaient aux abords du salon privé où se trouvaient les psychologues du Samu et les proches des disparus. Il passa d'âmes meurtries en âmes meurtries, trouvant les mots justes pour apaiser le malheur de ces familles endeuillées. Il touchait ces malheureux, les serrait fort contre lui. Les témoins de la scène assistèrent à une vraie communion dans la douleur. Chirac, alors moins chef d'Etat que guérisseur thaumaturge, donnait l'impression de répondre à un appel intérieur. Car il savait de quoi la mort était capable, y compris pour ceux qui restent. En 2011, la disparition de la femme de son ami et ancien secrétaire d'Etat Philippe Briand l'attrista durant de longs jours. A une vieille connaissance comme le milliardaire chinois Stanley Ho, qui était assis sur un fauteuil roulant et branché à des appareils médicaux, Chirac pouvait trouver « une bonne mine ». Un rire se propageait. Le rire, selon l'ancien président, dope le malade en heures de vie supplémentaires. A la fin de ses jours, Yasser Arafat multiplia les échanges téléphoniques avec celui qu'il appelait « docteur Chirac ». Et c'est ce même docteur qui lui proposa de venir se faire soigner en France, où le leader palestinien mourut finalement le 11 novembre 2004.

Elle le hantait, cette mort de l'autre, tout autant que la maladie. Si bien que lorsque l'enfant de l'un de ses collaborateurs tombait malade, fût-ce d'une petite varicelle, il n'était pas rare de l'entendre prendre des nouvelles. Et quand on lui apprenait qu'il ne s'agissait que d'un petit bobo, il prenait quand même l'affaire très au sérieux et déclarait que cela irait mieux demain, ponctuant sa prédiction d'un « inch' Allah ». Pour comprendre cette propension à toujours se soucier de l'autre, un ami m'a conseillé de me pencher sur sa relation à Laurence, sa fille victime d'une anorexie mentale. Une maladie qui l'a poussée à commettre plusieurs tentatives de suicide. Comme Bernadette, il portait la blessure indicible du mal de vivre de sa fille aînée. Nourrissait-il un sentiment de culpabilité vis-à-vis d'elle, comme une volonté de rachat en se montrant toujours soucieux des autres ? Le cas Chirac est un défi permanent à la psychanalyse.

C'est une banale histoire d'hommes. Le récit classique de deux amis qui supportent les silences, se vouvoient malgré le temps, leur âge, les rides, la voix qui change comme les cheveux, blanchis ou perdus. Une amitié générationnelle comme chacun en connaît, ni plus ni moins. Une relation qui a pour fondement la fidélité, la constance, le respect, l'humour et qui a résisté à l'adversité, ce moment où se révèle, paraît-il, la nature humaine. François Pinault n'a jamais été sarkozyste et il ne le sera jamais. Son cœur, au sens sentimental du terme, il l'a depuis longtemps offert à Jacques Chirac, et son cœur politique a suivi avec peut-être un peu moins d'allant que le premier.

En 2007, quand Nicolas Sarkozy a été élu président de la République, j'eus la curieuse impression d'être dans la peau d'un entomologiste penché sur un bac à fourmis. Par instinct de survie et dans une course folle, j'ai vu bon nombre de fourmis ouvrières – chiraquiennes – s'empresser de faire allégeance à la nouvelle reine Sarkozy. Nu et sans pouvoir, Chirac était lâché par les siens. Celui qui enfanta mille rejetons politiques se trouvait privé de soutiens. Des soutiens qui, croyait-il, l'accompagneraient non seulement jusqu'à la fin de son règne, mais aussi jusqu'à la fin de ses jours. « Un soutien », me corrigea-t-il, un jour que je présentais un de ses proches comme un « ami ». L'homme n'était dupe de rien. Un soutien. Terme qui ne s'applique dorénavant plus qu'à la politique et prend, dans la bouche de Chirac, tout son sens : ami jusqu'à ce que la fin du pouvoir nous sépare.

C'est au moment de cette grande désertion, de cette démonstration d'ingratitude politique, que j'ai vu une fourmi, discrète pour ne pas dire silencieuse, empruntant un contresens totalement assumé, se rapprocher encore plus qu'elle ne l'était déjà de la vieille reine Chirac. On aurait pu la croire atteinte d'une démence rare ; elle était simplement libre. Elle s'appelait François Pinault. L'ami qui sort de l'ombre. L'homme d'affaires était d'autant plus présent auprès de Chirac que celui-ci ne disposait plus d'aucun instrument de pouvoir. « Je ne le lâcherai pas », martelait-il devant ceux qui lui conseillaient d'éviter cette encombrante et si peu fructueuse relation. En 1995, quand la majorité du haut patronat français soutenait Edouard Balladur, le futur président de la République selon ses sondages et son propre comportement – sa poignée de main, il fallait la voir –, Pinault se singularisait déjà en soutenant Chirac, le loser de 1981 et 1988, mangeur de pommes, amateur de flonflons et dadais inculte. L'observation des comportements humains dans les milieux politiques et économiques, peuplés d'êtres au cœur dur, m'avait pourtant inculqué tout autre chose : le cynisme, la trahison, la perversité, l'intérêt, l'arrière-pensée... Et là, à pas lents, sans jamais tâtonner, François Pinault se plaçait à la fois au côté et au chevet du président sortant, tandis que ces messieurs les plus influents du CAC 40 couraient cirer le mocassin à pampilles du président élu. François Pinault n'était pas du dîner au Fouquet's au soir de la victoire de Nicolas Sarkozy. S'y rendre eût été un crachat au visage de l'ami « Jacques » autant qu'un abaissement personnel que ne pouvait concevoir ce patron breton ou, plutôt, ce Breton patron, jamais mieux que chez lui, à Paris ou en Bretagne, entouré des siens. Bien des politiques ont commenté cette amitié, née d'une rencontre dans les années 1970. Le patron de la holding Artémis n'ignorait rien des interrogations. Il savait ce que l'entourage de Sarkozy, et Sarkozy lui-même, disaient à son sujet : « Pourquoi est-ce que Pinault se fait chier avec Chirac ? » Mais celui qui tient en horreur l'establishment parisien et les donneurs de leçons a depuis longtemps fait sien ce vieil adage (chiraquien, bien sûr) : « Je leur pisse sur les chaussures ! » Et quand on lui demandait les raisons de cette amitié tenace, il répondait : « C'est un ami, voilà tout... », comme si la question lui paraissait incongrue. Et sans doute l'était-elle.

De ces deux hommes, on connaît les étés à Saint-Tropez qui ont longtemps fait le bonheur de la presse à sensation. Tels deux pioupious en permission sur la Côte d'Azur, ils s'installaient à la terrasse de Sénéquier, vêtus comme il se doit de blanc et de lin, un verre à la main. En vacances chez le couple Pinault, Chirac, heureux comme un cancre en récréation, était toujours accompagné de Bernadette, qu'il n'avait de cesse de taquiner : « Ces paparazzis, Bernadette, dites-nous, ils sont là pour vous ou pour moi ? » Les jours de forte chaleur et de longue attente, il n'était d'ailleurs pas rare de le voir, toujours enclin à provoquer sa dame, proposer aux photographes en embuscade un rafraîchissement. Et ça faisait rire aux éclats François Pinault, et quand François riait, Jacques en rajoutait. « Pinault est un véritable ami, qui ne m'a jamais tourné le dos. C'est une personne sur qui je peux compter et, naturellement, il peut compter sur moi. Je pourrais en dire autant de sa femme Maryvonne, toujours impeccable avec ma femme et moi. Vous la connaissez ? » me dit un jour Chirac. Il ajoutait : « Moi, au *Point*, je connais François Pinault ! D'ailleurs, il me dit souvent que je suis un des rares hommes politiques qui ne l'ont jamais appelé pour ou contre un article. Et c'est vrai. Notre amitié est à part et je ne mélange pas les choses. Jamais je n'ai protesté d'une façon ou d'une autre contre un article. La seule fois où je suis intervenu auprès d'un journal, c'est quand j'ai dit à Serge Dassault qu'il était à la tête d'un petit journal [Après une visite au Salon de l'Agriculture en 2010, Chirac n'avait pas supporté que *Le Figaro* ne consacre qu'un entrefilet à l'événement]. Je dois vous informer : j'ai été quasiment le fils de Marcel Dassault, il m'aimait comme un fils et c'était réciproque. Alors évidemment cela avait provoqué des jalousies de la part de son vrai fils, Serge. Il n'a jamais supporté ça et il me l'a fait payer. Mais jamais je ne me serais permis de faire la moindre intervention. Pinault dit toujours que je suis le seul homme politique qui n'a jamais fait d'intervention. Moi, je n'ai jamais fait d'intervention. Sarkozy faisait ça, mais moi jamais. »

François Pinault n'était pas pour lui un ami politique. A l'inverse du très dévoué Jean-Louis Debré, que Chirac avait fait ministre puis président du Conseil constitutionnel, Pinault ne lui devait rien. Pour Jacques, François avait le visage de la liberté et de l'insouciance, des sorties et des rigolades. C'est peu dire qu'il se sentait bridé, étouffé par la surprotection que lui imposaient les siens. Il n'avait qu'une obsession : « La paix ! » Ainsi rabrouait-il son épouse, sa fille et les autres, tous ceux qui lui rebattaient les oreilles avec le souci de préserver son image, la trace qu'il laisserait dans les livres d'histoire ou le regard des autres. La postérité n'était pas son affaire. Trop longtemps sa stature l'avait encombré pour qu'il doive encore crouler sous son poids jusqu'à sa mort. Plus il vieillissait et plus il se moquait de ses contemporains. Il acceptait d'en faire un minimum, selon son bon vouloir, pourvu que nul n'aille lui inventer une quelconque règle protocolaire ou de prétendus codes de bonne conduite pour président retraité. Ce corset trop étroit qu'on désirait lui faire enfiler avait souvent le don de produire chez lui l'effet inverse, de le désinhiber totalement. Il me confia, un jour : « J'aspire à la tranquillité, à profiter du temps qui passe. Vous savez, la vie est courte. Il faut profiter des bonnes choses tant qu'on est encore en vie. Moi, j'aime la vie. En ai-je profité ? C'est difficile à dire. Ma vie, je l'ai mise au service des Français et ça suffisait à mon bonheur. » Ou l'approche sacrificielle de la fonction politique. La mise entre parenthèses de sa personne pour le bien commun. C'était sa définition.

A plus de quatre-vingts ans, il voulait enfin vivre. Pour lui. Cette tranquillité désirée, il l'obtenait d'abord en compagnie de François Pinault. L'homme d'affaires en avait conscience et ne rechignait jamais à décaler un dîner ou un déplacement pour satisfaire l'ami Jacques, en l'invitant, par exemple, à déguster des escargots géants chez l'Ami Louis. Et, comme à son habitude, Pinault réservait la meilleure table pour voir dans l'œil de son vieux complice le bonheur d'être simplement là, loin de ses chaînes. Pouvait-il en être autrement ? Comment refuser un instant de joie à un homme que l'on n'est pas sûr de revoir le lendemain ? Permissif, Pinault l'était, par bonté. Par chagrin, aussi. Il a longtemps vu en Chirac la solidité d'un chêne, puis il l'a vu se déraciner peu à peu. Un chêne que la vie abattait. Une vie hors normes, qui faisait que lorsque cet arbre-là se coucherait, racines à nu, on l'entendrait choir au plus loin.

Durant l'été 2011, comme chaque été depuis sa retraite, Jacques Chirac a passé quelques jours à Bity, en son château froid et humide de Corrèze, une humidité qui lui ronge les os. Au deuxième jour de ce qui devait être des vacances, l'ennui commença lentement son travail d'usure : au milieu de son mobilier haute époque, le président bâillait, bâillait fort et cela s'entendait. Il faisait les cent pas, non sans peine, s'arrêtait devant une toile, un bronze, un buste, espérant y débusquer un détail, un trait nouveau qui pourrait occuper son attention l'espace de quelques minutes, de quelques secondes... Pas de conversations, pas d'aventures galantes, pas d'ivresse. Ici rien de tout ça. Le grand homme s'ennuyait sérieusement à l'ombre des sapins. Désireux d'en finir avec ce qui ressemblait de plus en plus à un internement forcé dans un mouroir à tourelles, il demanda à Bernadette d'écourter leur séjour et émit le souhait de retrouver, au plus tôt, François Pinault à Saint-Tropez. Bernadette opposa son veto ; non, Jacques n'irait pas faire le joli cœur sous le soleil de la Côte d'Azur. « J'aime bien Saint-Tropez. Je sirote un verre et je regarde les jolies filles passer », avait-il pour habitude de clamer. Mais Bernadette lui refusait ce coquin plaisir. Rien ne valait mieux pour lui, estimait-elle, en prenant des airs de Docteur Knock, que l'air de la Corrèze pour désencrasser ses poumons. Une rebuffade qui plongea Chirac dans une infinie tristesse, si bien que, pour exprimer son mécontentement, il resta cloîtré dans une chambre du château, sa chambre, refusant de dialoguer avec quiconque et, plus grave encore, de s'alimenter. Il perdit trois kilos en une semaine. Devant les exigences de son épouse, Chirac avait entamé ce qu'il convient d'appeler une grève de la faim.

On sollicita même son garde du corps pour tenter de le convaincre de se nourrir. Mais Chirac boudait tout, jusqu'à la nourriture. Au fait de ce jeûne dangereux, ses collaborateurs parisiens s'inquiétèrent et leur impuissance face à la situation générait en eux une profonde colère contre Bernadette. D'aucuns envisagèrent même d'exfiltrer l'ancien chef de l'État.

Il y avait bien, dans le fait de repousser de la main le bol de soupe qu'on lui tendait, une résistance quasi sacrificielle. Après ce séjour à Bity, à la Toussaint de la même année, il replongea dans une profonde déprime, amaigri, le cheveu long sur les oreilles, loin de François Pinault, cette fois au cours d'un séjour au Maroc, à Taroudant, où il s'isola dans sa suite, les stores baissés, n'acceptant de sortir qu'à la condition qu'il n'y ait personne au bord de la piscine.

Dans la voiture qui le conduit à Sarran, Jacques Chirac hume l'air du pays, mélange de terre humide et de pollen des conifères. Il connaît chaque courbe, chaque source de ce département de la Corrèze. Le cadre herbu est fidèle aux plus beaux poèmes du cru. Maintes fois il a sillonné ces routes au revêtement de qualité – qui le sont devenues en partie grâce à sa générosité présidentielle – pour serrer la main des paysans des environs, ce petit peuple en salopette, casquette et mégot à la bouche, qui le premier lui a accordé sa confiance. A l'inverse de François Mitterrand, Chirac n'a jamais été un contemplatif, adepte des balades les matins brumeux, ou encore un mystique capable de faire un long détour pour visiter une église ou un cimetière. L'homme du pays, que l'on sait présent sur ses terres, qui sont aussi celles de son ami sarkozyste Denis Tillinac, aux vitres fumées de sa voiture – et quand ce n'est pas lui, c'est François Hollande –, est attendu au musée qui porte son nom pour l'inauguration de l'exposition d'objets d'art du collectionneur chinois Peter Kwok. « Super-menteur », ainsi que l'avaient baptisé les marionnettistes des « Guignols de l'info », prouve par sa venue qu'il sait honorer une promesse. Lors de son dernier voyage en Chine, une autre de ses contrées chéries, il s'était engagé à accueillir en France les œuvres du collectionneur et homme d'affaires. Non seulement il allait le faire, mais, de surcroît, chez lui, en Corrèze. Le symbole est puissant, Jacques Chirac le sait : puisque Sarran est son berceau politique, là où sont transplantées les racines de ce natif de Paris (clinique Geoffroy Saint-Hilaire dans le Ve), cela équivaut, aux yeux du collectionneur chinois, au plus prestigieux des musées parisiens. Avant de rejoindre la campagne sarranaise, Chirac a accordé une longue interview au *Figaro*, dont la parution est prévue pour le lendemain. Quitter Paris, le temps d'un week-end, n'était d'ailleurs pas pour lui déplaire. L'ancien chef de l'Etat laissait derrière lui le vacarme médiatique né d'un éloge fugace adressé à François Hollande dans le second tome de ses Mémoires. L'ancien premier secrétaire du PS y était qualifié par lui d'« homme d'Etat », une qualité dont il aurait fait preuve, écrit l'autobiographe, en soutenant la loi de 2004 contre le port du voile à l'école, et ce malgré les réticences de nombre de ses camarades socialistes. Hollande, un homme d'Etat ? Le compliment tombait en pleine campagne des primaires socialistes pour la désignation du candidat à la présidentielle de 2012. Hollande, un homme d'Etat ? Une stature que Nicolas Sarkozy et beaucoup de socialistes lui déniaient et que venait de lui prêter non pas le premier élu venu, mais le dernier président de la République, élu et réélu, après avoir été deux fois Premier ministre et dix-sept ans maire de Paris. Une parole qui vaut donc brevet et invalide, de fait, les procès en illégitimité. La polémique parisienne reposait, en outre, sur un éloquent effet de contraste. Toujours dans ses Mémoires, Chirac, quelques pages après le propos sur Hollande, se montrait peu tendre à l'endroit de Nicolas Sarkozy, dépeint sous les traits d'un ambitieux vorace, qui plus est dénué d'élégance. Difficile de ne pas y voir un règlement de comptes, du moins pour l'auteur, une petite jouissance personnelle, à quelques mois d'une élection présidentielle s'annoncant compliquée pour le futur candidat de l'UMP. « En janvier, j'ai feint de ne pas me sentir visé lorsque Nicolas Sarkozy a cru bon d'ironiser, lors d'un déplacement à Hong Kong, sur les amateurs de combats de sumo et de dénigrer le Japon, deux de mes passions comme il ne l'ignore pas, écrit-il. Je me suis dit simplement, en l'apprenant, que nous n'avions pas les mêmes goûts ni la même culture. Beaucoup de mes proches s'étonnent alors que je ne réagisse pas à toutes ces petites phrases provocantes décochées contre moi par un ministre en fonctions qui s'exprime à sa guise, sans jamais se soucier de ménager le chef de l'Etat. Mais réagir à cela, du moins en public, ne pouvait que conduire à un affrontement auquel, je persistais à le penser, il n'eût pas été digne pour le président de la République de se prêter. Devais-je dans ce cas prendre une décision plus radicale, comme on me le conseillait ? Il m'est arrivé de m'interroger à ce sujet. » Voilà comment « Chirac épingle Sarkozy et salue Hollande », selon le titre du journal *Le Monde*.

« Si les attaques de Sarkozy m'ont blessé ? Non. Vous savez, venant de lui... Sarkozy.... Ah, ah, ah ! » me confia Chirac en 2010, tout en faisant mine, rigolard, de chercher au sol, au niveau de son mollet, ce « roquet » qui, certes, l'enquiquine, mais ne le blesse pas...

Ce vendredi 10 juin 2011, où tout semblait calme sur le front de l'actualité politique, les médias tenaient donc leur histoire, celle, bien française, d'un héritier (Sarkozy) déshérité au profit d'un rival (Hollande). Ne serait-ce d'ailleurs pas ce rival, président du conseil général de la Corrèze, candidat « rad-soc » à la primaire citoyenne, le véritable héritier politique de Jacques Chirac ? On en vient à se le demander. Hollande ne serait-il pas, l'ignorant lui-même, le fruit d'un spermatozoïde chiraquien égaré dans un entrejambe socialiste ? Entendez Hollande prôner le dialogue social et l'apaisement ! Regardez-le aller au contact des Français, serrer les mains en fixant son interlocuteur dans les yeux, embrasser les nourrissons que lui tendent les badauds ! Devinez-le dans son bureau de l'Elysée bâtissant une synthèse politique pour ne surtout fâcher personne ! Longtemps Sarkozy a refusé la filiation chiraquienne ;

Hollande, lui, laissait dire, ce qui était une manière de l'accepter. Dans son interview au *Figaro*, Chirac a redit tout le bien qu'il pensait du candidat socialiste. Mais de cette guirlande d'éloges, les lecteurs du *Figaro* ne sauront rien. Dans le climat préélectoral de l'époque, l'extrait aurait eu l'effet d'une bombe. Que disait Chirac ? Eh bien que, oui, les qualités d'homme d'Etat de Hollande étaient indéniables. Oui, moi, Jacques Chirac, je lui prédis un grand destin. Oui, j'ai beaucoup de sympathie pour le président du conseil général de la Corrèze, ma femme aussi d'ailleurs. Mais à la relecture de l'interview, la veille de sa parution, Claude Chirac, soucieuse de ménager la susceptibilité de Sarkozy, biffa les passages à la gloire de Hollande, consentant à laisser quelques mots aimables, en rien dangereux et déjà connus de tous : « Il a fait preuve de courage, de lucidité et d'un grand sens des responsabilités » au moment du vote de loi sur le voile à l'école. Et c'est tout.

A Sarran, Jacques Chirac a dîné en compagnie du directeur du musée, Stéphane Martin, et du collectionneur Peter Kwok. Le grand absent, François Hollande, a prévu de rencontrer l'ancien chef de l'Etat le lendemain, peu avant l'inauguration de l'exposition. Il est 22 heures, Chirac bâille ostensiblement, se frotte un œil, puis l'autre, s'impatiente soudain et demande qu'on le raccompagne à son hôtel. S'il veut paraître en forme pour cet événement qui agite toute la Corrèze, il lui faut bien ses huit heures de sommeil. Le lendemain matin, assis dans le vestibule de l'hôtel, il feuillette *Le Figaro* sans même remarquer que ses propos sur Hollande avaient été récrits. Qu'importe, il est visiblement de bonne humeur, badinant avec les employés de l'établissement et souriant à qui veut bien croiser son regard. Un de ses agents de sécurité, en poste aux abords du musée de Sarran, a prévenu à distance Hugues Renson de la présence de nombreux journalistes sur place. « Vous n'allez pas me dire qu'ils sont venus faire un reportage sur l'exposition ? » s'exclame Chirac. Dupe de rien, jamais, car connaissant à merveille les logiques journalistiques pour les avoir observées durant tant d'années, il savait ce qui ce jour-là excitait la faune médiatique. Il n'ignorait pas que la perspective de le voir poser aux côtés de Hollande, deux rad-socs épaule contre épaule, pourrait, dans le contexte d'une précampagne présidentielle, faire grand bruit. La presse parisienne attendait de la Corrèze qu'elle lui fournisse un nouvel épisode de la guéguerre entre Chirac et Sarkozy ! La présence massive de journalistes, qui aurait dû inviter l'ancien chef de l'Etat à la plus grande prudence, provoqua étrangement l'effet inverse, la soudaine envie de « foutre la merde », d'amuser la galerie et d'en mettre plein les yeux à ces Parisiens venus en troupeau. On a noté son air canaille. L'inquiétude se lisait dans le regard de ses proches, subodorant le pire, le sachant capable de tout dès lors qu'il affichait cet œil matois. Capable de tout et, surtout, de l'irrémédiable. Il s'est levé de son fauteuil, sans aide. Il a plissé sa cravate, réajusté sa ceinture et s'est dirigé vers la sortie, à petits pas sûrs, une main sur l'épaule de son collaborateur, l'autre au plus profond de sa poche de pantalon. M. Chirac était attendu, comme il y a bien longtemps qu'il n'avait pas été attendu.

Sur place, en dépit d'un soleil abondant, le vent se faisait fort d'ébouriffer les longs tapis de fleurs sauvages. Des enfants couraient en tous sens. Des femmes, habillées et coiffées pour l'occasion, réglaient leur appareil photo numérique et, pour certaines, rehaussaient leur poitrine, tandis que les maris, eux, conversaient à l'ombre d'un bâtiment. Devant ce public corrézien, Chirac tournait sur lui-même, semblant chercher quelqu'un ou quelque chose du regard. Une nuée de caméras l'épiait à distance. « Où est monsieur le président ? Mais où est monsieur le président ? » demandait-il au premier venu. Hollande, en effet, se faisait attendre. « Où est monsieur le président ? Vous avez vu le président ? » Chirac n'avait de cesse de le réclamer, en prenant soin d'insister sur les mots « monsieur-le-président ». Monsieur le président : comme s'il avait déjà sacré le président du conseil général président de la République. Hollande arriva, aminci et souriant, bredouillant quelques excuses. Il embrassa les élues locales et s'attarda devant Chirac. Il lui prit la main, ne la lâcha plus, ou était-ce Chirac qui ne le lâchait plus ? Hollande tournait le dos aux photographes, lesquels le prièrent de se retourner. Il s'exécuta. Les cent crépitements à la seconde provoquèrent une volée d'oiseaux. Tels ces mésanges bleues en vol, Chirac déploya son long bras, posa ensuite sa main sur l'épaule de Hollande et le serra fort contre lui. On eût dit un père et son fils.

Avant l'ouverture du musée au public, les officiels étaient conviés à un déjeuner. Dans une grande salle attenante au musée, aménagée pour l'occasion en cantine, Chirac et Hollande se faisaient face. En raison de la distance qui les séparait et du bruit ambiant, il leur était impossible d'échanger le moindre mot. Au menu : foie gras, veau, plateau de fromages et verrine de fraises, le tout arrosé de saké et de bière traditionnelle. A la fin des agapes, panse et vessie pleines, Chirac se leva le premier et attendit son hôte avant de franchir la porte de la salle à manger, devant laquelle patientait une multitude de journalistes.

Hollande, parvenant à se défaire de ses interlocuteurs, le retrouva. A peine avaient-ils franchi la première porte que le téléphone du socialiste se mit à sonner. Il s'excusa, s'isola près d'un muret, les mains jointes sur le micro de son portable. « T'es en train de pisser ou quoi ? » lanca Chirac à Hollande, en le voyant ainsi immobile face à son muret. Le directeur du musée suggéra alors aux membres de la délégation d'avancer jusqu'à l'escalier menant à l'exposition, précisant à Chirac que le président du conseil général les rejoindrait plus haut. « On l'attend ! » rétorqua sèchement l'ancien chef de l'Etat. Après deux minutes de conversation téléphonique, Hollande regagna le cortège et s'excusa pour l'attente. Les deux hommes, côte à côte, avancèrent sans dire mot. Les flashs crépitaient. Pour se donner une contenance, Hollande affichait un large sourire. Soudain, Chirac : « Alors vous êtes candidat ? » Hollande, surpris : « Euh, oui. — Alors, je voterai pour vous ! » En dehors de leurs proches collaborateurs, nul n'avait saisi la teneur de ce bref échange. Hugues Renson vit se tendre les premières perches des radios et des télés et fit signe discrètement au président retraité de surtout se taire. En vain. Hollande, tout aussi prévenant : « Attention, vous allez vous faire entendre ! » Mais Chirac, qui avait décidé de se faire entendre, répéta son intention de vote, cette fois-ci face aux caméras, une main ponctuant son propos : « Je peux dire que je voterai Hollande ! » A la fois heureux et embarrassé de ce qui pouvait être un handicap dans sa campagne pour la primaire socialiste, Hollande accéléra le pas. Juste après cette confidence sismique et non sans une certaine frénésie, les journalistes joignirent leur rédaction pour livrer l'information.

Plus tard, de retour dans le hall de son hôtel, alors que ses collaborateurs étaient suspendus à leur téléphone pour tenter d'expliquer l'impensable à la terre entière, Chirac s'arrêta devant un écran télé, au bas duquel défilait un bandeau : « Urgent : Jacques Chirac votera pour François Hollande ». Il esquissa un sourire, un sourire de garnement, et poursuivit son chemin. La panique ambiante lui importait peu. Ça « lui en touchait une sans faire bouger l'autre », selon son expression favorite. Avait-il prémédité sa sortie ? Beaucoup, parmi ses amis, en sont convaincus. Pour sa famille, ce n'était que la manifestation d'un

« humour corrézien ». Bernadette Chirac, présente à Sarran, a tout de suite mesuré l'ampleur de la catastrophe. Elle a eu beau fusiller son mari du regard durant tout le voyage du retour, l'homme a continué. Il n'a eu de cesse de clamer sa préférence pour Hollande. A l'hôtel, comme dans l'avion qui les ramenait à Paris. Il le répétait. Pour lui, ce serait Hollande. Hollande. Hollande.

J'ai appris par une de mes sources à l'Elysée combien cette histoire avait contrarié Nicolas Sarkozy, qui n'avait pas de mots assez durs pour fustiger le comportement de son prédécesseur et, au passage, pour s'en prendre à lui-même. Pour se maudire d'avoir accepté que l'UMP débourse près d'un million et demi d'euros en échange du retrait de la plainte de la Mairie de Paris contre Jacques Chirac dans l'affaire des emplois fictifs. « Méchant, Chirac. Méchant. C'est pas la maladie, tout ça ; c'est lui, c'est Chirac », grognait-il devant les ministres qu'il savait proches de son prédécesseur. « Vous croyez que je vais l'appeler, Chirac, et lui dire ce que je pense de ses déclarations ? De ses conneries ? Je verse un million cinq pour son procès, et en retour, quoi ? Des insultes ! Je voterai

Hollande ! Merci ! Non, mais franchement, merci ! » a-t-il un jour éructé devant Bruno Le Maire[3]. Naïvement, celui qui espérait rassembler l'ensemble de sa famille politique et afficher une unité conquérante lors de la présidentielle de 2012, attendait un soutien solennel et personnel de Jacques Chirac, personnalité politique préférée des Français. Au pis, il eût apprécié un silence de sa part, qu'il se serait chargé de rompre avec la complicité de Bernadette, en faisant publier un communiqué de soutien signé de son prédécesseur. L'idée fut évoquée. Mais Sarkozy s'est fait avoir comme un vulgaire centriste. Il a vu un autre que lui, en l'occurrence Hollande, son adversaire le plus sérieux depuis les déboires new-yorkais de Dominique Strauss-Kahn, jouir de ce prestigieux renfort, sans rien demander et sans débourser le moindre centime d'euro.

Le toujours très vaillant Xavier Musca, secrétaire général de l'Elysée, est celui qui a prévenu Nicolas Sarkozy de l'incroyable nouvelle. Plein de colère, le président a demandé à parler à Bernadette Chirac. Elle l'avait assuré, quelque temps plus tôt, du soutien de son mari et devait, dès lors,

3. *Jours de pouvoir*, Gallimard, 2013.

s'expliquer sur ce manquement à la parole donnée. De son côté, Frédéric Salat-Baroux est intervenu auprès de Musca pour tenter de réparer les pots cassés. Sur demande de l'Elysée et ordre de Bernadette, le gendre a rédigé un communiqué à la hâte, qu'il a envoyé à l'AFP. Il y était donc question de « l'humour corrézien » de ce sacré Jacques, qui, décidément, mourrait pour un bon mot. C'est précisément ce communiqué qui fit rire les amis de Chirac, ceux qui savaient que ces paroles prononcées au sujet de Hollande venaient bien du cœur. Je me souviens d'avoir demandé au président retraité si le geste financier de l'UMP était le prix de son soutien à Nicolas Sarkozy. Sa réponse fut instantanée, cinglante et je crus même déceler de la noirceur dans son regard : « Je lui ai dit qu'il ne fallait rien attendre de moi de ce point de vue-là. Rien ! » Sous les lambris dorés de son bureau élyséen, Nicolas Sarkozy parlait d'une « déclaration de guerre ».

Dans un énième portrait de Jacques Chirac, toujours sur sa nouvelle vie, ses états d'âme, ses « plans secrets » – comme aimaient à titrer les hebdomadaires –, je revenais, en quelques lignes, sur l'état de santé de l'ancien président tel que je l'avais constaté. Je laissais entendre qu'il était, certes, fatigué et handicapé, que sa motricité et son audition étaient défaillantes, mais qu'il n'avait rien de la momie que l'on présentait dans certains articles de presse ou dans les conversations aux abords de l'Assemblée nationale. Toujours dans ce portrait, j'écrivais à propos de son prochain rendez-vous avec la justice : « Il ira à son procès et, quelle qu'en soit l'issue, fidèle à sa nature, il se parera d'un masque digne, ne laissera transparaître aucune émotion. » Que n'avais-je pas écrit ! Le surlendemain de la parution de l'article, je reçus le coup de fil d'un proche de Chirac. Un engagement m'oblige à taire son nom. Mon interlocuteur avait trouvé ce papier « joliment rédigé et fidèle à la nature de Chirac, mais voilà... » Mais voilà quoi ? A l'entendre, je n'aurais pas dû être aussi catégorique en écrivant, noir sur blanc, dans un grand hebdomadaire, sûrement lu par les juges, qu'il se rendrait à son procès. La formulation était gênante pour le clan Chirac, qui préparait la défense du président justiciable. Pourtant, je n'inventais rien, cette affirmation je la tenais de l'intéressé lui-même. « Oui, mais bon, vous savez bien dans quel état il est, me fit-on remarquer. Vous pouvez lui faire dire ce que vous voulez... » Je n'étais pas convaincu de cela. Devais-je donc exagérer son état de santé, le décrire tel un vieillard à l'article de la mort tenant des propos toujours incohérents ? On m'a fait comprendre qu'il valait mieux être dans cet excès-là que dans l'excès inverse. J'avais compris que je ne reverrais pas Chirac avant son procès, prévu pour septembre 2011. Quelques jours avant son ouverture, ses avocats ont fait parvenir un rapport médical au président du tribunal correctionnel de Paris, Dominique Pauthe. Ce rapport, signé par un professeur de neurologie de grande renommée, Olivier Lyon-Caen, faisait état de troubles sérieux de la mémoire, conséquences d'une anosognosie. Poursuivi pour « prise illégale d'intérêt, abus de confiance et détournement de fonds public », l'ancien président serait donc dispensé d'audience. Je m'intéressais de loin à son procès, préférant me concentrer davantage sur l'homme politique, et plus encore sur l'homme tout court, plutôt que sur celui qui aurait mis les doigts dans le pot de confiture. J'avais acquis la conviction qu'il se rendrait à son procès, comme il me l'avait laissé entendre, car, lors de notre échange, il me paraissait soucieux de laver lui-même son honneur. Il me donna l'impression de ne pas vouloir se défausser. A l'époque des faits, le maire de Paris, c'était lui, et un chef se doit de toujours répondre présent, quitte à assumer les fautes de ses subalternes : c'est ce que j'avais compris de notre conversation. On m'avait informé de l'existence d'un texte, rédigé par un autre que lui, que Chirac avait prévu de lire devant le président Pauthe, en cas de comparution. Ce texte reprenait les principaux axes de sa défense. 1) Chirac n'était au courant de rien. 2) Il n'y a pas eu d'enrichissement personnel.

3) Les emplois dits fictifs n'avaient aucun caractère « systémique ». Le 15 décembre 2011, soit plus de quinze ans après les faits, l'ancien président de la République était condamné à deux ans de prison avec sursis. Nul ne doit échapper à la pesée de ses actes sur la balance de la justice, mais je lui aurais volontiers accordé une dérogation au nom de son engagement politique, celui d'une vie. Naïf ? Si l'existence de ce rapport médical eut l'avantage de lui épargner et d'épargner au pays entier ce triste spectacle, il permit aussi de relativiser, aux yeux des sarkozystes, la déclaration de Sarran et son soutien à Hollande. De l'humour factice à la maladie vraie. L'opinion devait le savoir. Pour Nicolas Sarkozy, qui souhaitait voir invalider le soutien de Chirac à Hollande, ce certificat de santé était une véritable aubaine. Mais qui l'a réellement voulu ?

Ça devenait, chez Nicolas Sarkozy, une obsession. Il lui fallait, à tout prix – et le problème se poserait bien en termes de prix –, l'adoubement de Jacques Chirac, qu'il n'avait pourtant jamais cessé de brocarder pour un milliard de raisons : sa trop grande frilosité, son cynisme, ses mauvais coups, sa fourberie, son bilan, ses proches... Chirac, en retour, voulait sa mort politique. A présent, il avait le pouvoir de le ressusciter. Les baromètres de popularité le portaient au pinacle. Jacques Chirac devenait soudain, grâce à ses sondages, un aspirateur à voix de droite, un label qualité gaullien, un brevet de compétence internationale, une caution républicaine. Aussi Sarkozy devait-il dire de lui le plus grand bien. De lui, mais aussi des chiraquiens, Alain Juppé, François Baroin, Michèle Aliot-Marie et d'autres, dont la valeur sur le marché politique ne cessait de croître. Sarkozy avait intégré cette donnée.

Zélée, ô combien, Bernadette travaillait matin et soir, en ligne directe avec l'Elysée, à un rapprochement entre les deux hommes autrefois liés avant que la trahison de l'un, en 1995, au profit d'Edouard Balladur, ne suscite l'éternelle rancœur de l'autre. Mais, chaque fois qu'elle abordait le sujet, sur un ton ferme ou léger, les yeux noirs derrière ses lunettes fumées ou plus câlins à découvert, elle essuyait un refus catégorique de son mari. Chaque fois qu'elle revenait sur la question, à la maison ou ailleurs, elle avait droit à un dos ostensiblement tourné, à une surdité surjouée ou à une stricte fin de non-recevoir s'accompagnant le plus souvent d'une méchanceté sur le physique de Sarkozy – « le petit », « le minuscule », « le lutin ». « Il y a des choses qui vont au-delà de ce qu'un homme peut supporter », répondait-il, faisant allusion aux critiques de Sarkozy, qui l'avait comparé moqueusement à Louis XVI.

En juin 2010, de guerre lasse, Chirac accepta finalement de déjeuner avec celui qui, peu de temps auparavant, le citait en contre-exemple dans ses réunions de parlementaires à l'Elysée, dont on lui rapportait le verbatim. Evidemment, Bernadette jubilait à l'idée de ce déjeuner. Elle venait de remporter une petite victoire. La date n'a d'ailleurs pas été choisie au hasard, oh non ! C'était exactement la semaine où Dominique de Villepin, qui entretenait un faux suspens sur une candidature à la présidentielle de 2012, prévoyait de lancer son mouvement politique, « République solidaire ». Nicolas Sarkozy avait insisté auprès de l'ancienne première dame pour que ce déjeuner ait lieu avant ce rendez-vous attendu des journalistes, entendant ainsi priver son meilleur ennemi du statut d'unique descendant dans la lignée chiraquienne. Il ne fut d'ailleurs pas compliqué de rallier Mme Chirac à ce petit calcul politicien, elle qui tenait Dominique de Villepin, surnommé par elle « Néron », pour un cinglé total et un personnage néfaste.

Sarkozy et Chirac s'étaient retrouvés chez Tong Yen le 15 juin 2010, aux environs de 13 heures, en présence de leur entremetteuse. Sur le trottoir de la rue Jean-Mermoz, les journalistes patientaient. Ils attendaient, engourdis, la fin du déjeuner pour saisir l'image, inédite depuis la passation de pouvoirs de 2007, d'une accolade entre les deux hommes. Pour ma part, c'est un conseiller de l'Elysée qui m'indiqua l'adresse et l'heure du rendez-vous, trop heureux de me savoir sur place pour faire état de cette rencontre. Le déjeuner dura près d'une heure et pendant près d'une heure ce fut un véritable « déjeuner de cons ». Le président retraité, habitué des lieux, ne consentit à ouvrir la bouche que pour avaler goulûment son canard laqué. S'il avait accepté de se prêter à la mise en scène, il refusait d'échanger le moindre mot avec son vis-à-vis, lequel n'en revenait pas. La question d'un soutien politique était, pour Chirac, hors menu. Une scène tout bonnement surréaliste. Sarkozy avait beau l'interroger sur tous les tons, à tous les temps et aborder les sujets les plus généraux comme les plus intimes, rien ne semblait pouvoir sortir Chirac de sa capricieuse réserve. Quand il consentait à répondre, c'était par un oui ou par un non, à peine audibles, ou encore par une phrase hors de propos. Le déjeuner fut un échec.

Plus tard, à peine remis de ce camouflet et devant l'hypothèse d'une candidature Villepin, Nicolas Sarkozy envisagea un stratagème bien différent et beaucoup plus spectaculaire : une visite surprise au

119 rue de Lille, quelques semaines avant l'annonce de sa candidature. L'idée me fut très vite rapportée. Je m'empressai alors de la soumettre à un collaborateur de Chirac, et elle ne manqua pas de faire réagir l'intéressé : « Si d'aventure il venait à me rendre visite, je proposerais aux autres candidats de venir me voir au nom de l'équité. »

Hollande élu, Chirac put laisser éclater sa joie. Enfin, Sarkozy, pour lequel il avait nourri les plus grands espoirs électoraux avant la trahison de 1995, était sorti du jeu et, ultime délectation, il gardait le privilège d'être le seul président de la République de droite, depuis de Gaulle, à avoir été reconduit dans son mandat par les Français. Le soir des résultats, il fit appeler Hollande. Au téléphone, n'ayant pas de mots assez forts pour exprimer sa joie, il dit au socialiste, sûr de son instinct, qu'il ferait « un grand président ». A peine avait-il raccroché qu'il demanda qu'on le mette en relation avec le battu, Sarkozy. Comment allait-il pouvoir exprimer de la compassion vis-à-vis de celui qu'il détestait le plus politiquement et humainement après Balladur et Giscard ? Chance : il tomba sur son répondeur, lui laissa un message bref, sans chaleur, juste ce qu'il fallait pour honorer une tradition républicaine. Sarkozy ne donna jamais suite.

Le 15 mai 2012, jour de la passation de pouvoirs à l'Elysée, Chirac était devant la télévision de son bureau, branchée sur une chaîne d'informations en continu. Cigarette aux lèvres, lunettes calées au sommet de son long nez, jambes croisées, il ne rata rien de la cérémonie, des coups de canon, du tapis rouge, de la fanfare et, surtout, du départ du couple Sarkozy-Bruni. Radieuse journée.

J'avais revu Jacques Chirac au milieu de l'année 2010. Un ami m'a supplié de lui obtenir une dédicace du premier tome de ses Mémoires. Cet ami y mettait une telle insistance que je me suis demandé si ce n'était pas pour revendre l'ouvrage dédicacé à meilleur prix sur Internet. J'ai accepté, songeant que je ne devais pas le décevoir. N'étais-je pas celui qui pouvait approcher sans trop de difficultés Jacques Chirac ? Aimablement, Bénédicte Brissart, que j'ai jointe par téléphone, me conseilla de passer au bureau dans l'après-midi, me chuchotant que j'aurais peut-être une chance de le croiser. J'étais convaincu, comme elle, qu'en me sachant présent dans ses bureaux, l'ancien président ne pourrait s'empêcher de venir à ma rencontre. Il était comme ça, Jacques Chirac, passant toujours une tête dans un bureau pour savoir qui faisait quoi, ce qu'on y racontait, qui y causait. Et cela n'a évidemment pas manqué. Il était près de 16 heures lorsque que j'ai sonné à la porte du bureau de la rue de Lille, le cœur battant, comme la dernière fois, même intensité, avec cette fois-ci un exemplaire de ses Mémoires sous le bras. Bénédicte a ouvert. Elle arborait un sourire complice que j'interprétai comme la confirmation de ma rencontre avec Chirac. A peine ai-je passé la porte que le grand homme se pointa devant moi, les mains dans les poches, me scrutant de haut en bas. Je craignais le pire. Qu'il me fasse, par exemple, une remarque sur mes chaussures, pas assez bien cirées, sur mon col de chemise ouvert ou encore sur la housse de mon ordinateur portable d'un bleu criard. Sans doute ces observations avaient-elles traversé son esprit taquin, jusqu'à ce qu'un sentiment de pitié ne lui interdise de me prendre pour une cible facile devant ses collaborateurs. Or, si sentiment de pitié il y eut, il fut furtif : « Comment ça va ? Alors, toi aussi tu as du poil au menton ? » Le menton, je ne l'attendais pas là. Que faire, sinon sourire idiotement, en me caressant ledit menton ? De mémoire, c'est la première fois qu'il me tutoyait. Il me tourna le dos et me demanda avec autorité de le suivre jusque dans le bureau de son directeur de cabinet, Bertrand Landrieu. Je connaissais peu cet homme, Landrieu, qui avait déjà été le directeur de cabinet de Chirac à l'Elysée et qu'on me présentait partout comme atteint, et de façon aiguë, d'un syndrome propre aux chiraquiens : pour lui, le silence n'est pas seulement d'or, il est serti de diamants. D'où une certaine excitation à l'idée de le voir peut-être fendre l'armure en présence de son patron. Cet ancien préfet, notamment de la Corrèze, qui doit son timbre de voix rauque à sa consommation abusive de cigarettes Kool, fuit la compagnie des journalistes. Il en connaît bien quelques-uns, des anciens surtout, dont il sait qu'ils respecteront scrupuleusement la parole donnée et que jamais il ne leur viendrait à l'idée de tweeter ses confidences. Mais, moi, du haut de ma fraîche trentaine, il ne me connaissait pas. J'incarnais quelque part, et bien malgré moi, cette génération de journalistes adepte du court terme, de la phrase qui fera du buzz. C'est en tout cas ce qu'il me semblait percevoir dans son regard, tandis que je faisais mes premiers pas dans son bureau enfumé. Outre Landrieu, il y avait là un vieil homme dont le visage m'était familier, mais dont le nom m'échappait. Il était aussi pâle que Jacques Chirac était hâlé. On lui aurait facilement donné quatre-vingts ans, ou plus. Il n'était pas seulement assis sur une chaise, mais affalé, une poudrée de pellicules sur les épaules. Il portait une veste blazer à boutons dorés. A croire qu'il lui suffisait de se lever pour réveiller en lui d'atroces douleurs. Ce vieil homme regardait Chirac différemment des autres. A l'évidence, il n'était pas, ou plus, son collaborateur. Lui se permettait de l'interrompre et de l'appeler par son prénom, tout en le vouvoyant. Chirac me le présenta : il s'appelait Maurice Ulrich, un de ses compagnons de longue date. Un gaulliste, ancien sénateur RPR, comme on n'en fait plus, qui décédera, à la plus grande tristesse de Chirac, en novembre 2012. On dit de lui qu'il connaît tout des grands et des petits secrets de son président d'ami. Chirac me fit signe de m'asseoir. J'hésitais à sortir mon carnet de notes de peur de rompre le climat de confiance qui semblait s'installer. Une femme arriva, genre « mama antillaise », disposée à nous servir de quoi boire. Pour moi, un verre d'eau. Pour Chirac, un punch. « C'est elle-même qui les prépare ! » certifia mon hôte, qui tenta, en vain, de me convaincre d'en commander un. Il semblait heureux, enfoncé dans son siège, les avant-bras à plat sur les accoudoirs, faisant la girouette du haut de son cou fripé. Je comprenais alors pourquoi à Science-Po ses camarades le surnommaient « l'Hélicoptère ». La peau du menton pendait, comme le lobe de ses oreilles. « Alors, comment ça va ? » lança-t-il à la petite assemblée dont j'étais. C'est exactement ainsi que je l'imaginais démarrer ses réunions, jadis, à l'Elysée ou à la Mairie de Paris, avant de fomenter ses stratagèmes politiques. Après quelques minutes de généralités en tout genre, je décidai d'aborder un point d'actualité : la campagne de Marine Le Pen pour la présidence du Front national. A l'énoncé du nom de la benjamine des Le Pen, Ulrich fit une grimace, Landrieu écrasa sa cigarette dans le cendrier et Chirac me dévisagea, bouche serrée, se tournant ensuite vers ses proches : « Celle-là, je peux vous dire, je ne l'aime pas. » Etait-ce parce qu'elle était la fille de son père, Jean-Marie, que Chirac a longtemps tenu en horreur ? Il assura que non. Le « racisme », affirmait-il, lui était absolument insupportable. Il disait exécrer tout ce qui était de nature à diviser les Français.

Chirac en père de la nation, fidèle à son combat anti-FN. « Tu me connais, me dit-il. Je n'ai jamais, de près ou de loin, fréquenté ces gens-là. Je n'aime pas ceux qui suscitent la haine et le rejet, c'est comme ça. L'autre jour, je l'ai entendue à la radio, elle n'est pas mauvaise, mais elle dit n'importe quoi. C'est une excitée. Une vraie excitée celle-là. » Je m'autorisai une question sur une éventuelle alliance entre l'UMP, son UMP, celle qu'il avait vue naître, et le FN de Marine Le Pen. « Ceux qui s'engageraient dans cette voie porteraient alors une lourde responsabilité. Ce serait la mort de notre famille politique. Mais qui pourrait faire ça à l'UMP ? Même Sarkozy n'a pas osé, c'est dire... » Maurice Ulrich rappelait à Chirac qu'il avait refusé de débattre avec Jean-Marie Le Pen lors de l'entre-deux-tours de la présidentielle de 2002 et qu'en cela il avait accompli un acte de bravoure. « Oui, c'est vrai, j'ai refusé de débattre avec lui... », soupira-t-il en guise de réponse. Après quoi il se leva, moi aussi, et nous allâmes, tous deux, dans son bureau, où l'employée experte en punch nous attendait avec nos rafraîchissements. Contrairement à notre première rencontre, ô combien ennuyeuse, je le trouvai libre, accessible, comme moins bridé. Etait-ce la tonalité de mon dernier article, qui le mettait dans cet état de détente ?

Puisqu'il parlait de division des Français et que c'était précisément le reproche que beaucoup faisaient à Nicolas Sarkozy, je lui demandai son sentiment sur l'état de la société française. Il prit un air sérieux, préoccupé, durant de longues secondes, assis, les mains jointes sur le haut du ventre. « Les Français veulent de l'apaisement et trouvent les choses actuellement très anxiogènes, c'est le mot. Les Français sont particuliers, il ne faut surtout pas les exciter ou jouer à leur faire peur. Sinon, c'est très dangereux...

— C'est la faute de Sarkozy ?

— Disons qu'il n'y est pas étranger, mais vous savez la règle que je me suis fixée. Ce que je peux dire, c'est que je ne peux pas accepter la banalisation de la haine et de l'intolérance.

— Si vous considérez que les Français sont divisés, pourquoi ne pas prendre la parole pour appeler tout le monde au respect des principes républicains ?

— Je n'exclus pas de dire des choses, mais seulement si l'intérêt des Français est en danger. Nous n'y sommes pas, du moins pas encore. Et puis, les principes républicains, aujourd'hui, tout le monde s'en moque...

— Sarkozy aussi ?

— Sans doute lui le premier !

— Vous suivez un peu l'affaire Bettencourt ?

— Oui, j'ai vu ça. Les Français n'aiment pas ce genre d'histoires, surtout en ces temps difficiles pour eux.

— Certes, pour beaucoup, vous avez fait preuve d'une certaine droiture en refusant de dialoguer avec le FN, mais comment capter son électorat, sinon comme l'a fait Sarkozy en 2007 ?

— Une certaine droiture ? Tu veux dire que je suis raide ? Je crois qu'il faut être ferme sur ses valeurs, sinon on, comment dire, on se travestit, on n'est plus soi-même si l'on dit à une clientèle électorale ce qu'elle veut entendre.

— Ce rejet des extrêmes, allez-vous l'aborder dans le second tome de vos Mémoires ?

— Le second tome ? Ah oui, le second tome. Oui, oui, naturellement. Le deuxième tome, qui n'intéressera personne d'ailleurs. Concernant les droits d'auteur du livre, ma femme m'a dit qu'il serait bien d'en garder une part pour nous [les droits d'auteur du premier ont été reversés à sa Fondation et à la Fondation Pompidou]. »

A cet instant, Hugues Renson entra dans le bureau. Je tentai de reprendre le fil de notre conversation, conscient que la présence de son collaborateur allait quelque peu entraver sa parole. « N'est pas de Gaulle qui veut ! risquai-je.

— Quoi ? De Gaulle ? Je l'ai connu, moi. C'était une sacrée bête celui-là. Tu sais que j'ai été son ministre ?

— Oui, comme vous avez été communiste.

— Quoi ?

— Comme vous avez été communiste !

— Ah ça oui, j'ai été communiste. Les militants communistes sont des gens bien.

— Vous avez réellement vendu *L'Humanité* ?

— Oui, j'ai vendu *L'Humanité*, ah ça remonte... J'ai vendu *L'Humanité* au début des années 50 ! J'étais posté sur la place Saint-Sulpice et je criais : "Achetez, vendez, diffusez *L'Humanité* !" Deux charmants messieurs de la maréchaussée m'ont interpellé et conduit au poste de police, avant de me ramener chez moi. Cette histoire m'a ensuite joué des tours. Quelques années plus tard, j'ai obtenu une bourse pour Harvard. Seulement, le consulat américain m'a refusé un visa au prétexte que j'étais fiché comme militant communiste. Grâce à l'aide de mon professeur à Sciences-Po, Jean Chardonnet, qui a plaidé ma cause auprès du ministre de la Défense de l'époque, j'ai obtenu mon visa. Aujourd'hui encore, j'ai un ami communiste, qui s'appelle Robert Hue. Tu le connais ?

— Oui, bien sûr.

— Je l'appelle Cocotte ! » Puis, je ne sais pour quelle raison, nous nous sommes mis à parler du caractère aphrodisiaque du pouvoir, dont il me confirma l'existence. Après une heure d'une discussion tous azimuts, durant laquelle on passa des civilisations éteintes à la crise de la presse, je fus contraint de le quitter pour retrouver un député, qui m'attendait au Bourbon, une brasserie située devant l'Assemblée nationale. « Déjà ? Allons, reste encore un peu. Qui est ce député avec lequel tu as rendez-vous ? », me demanda-t-il. Il s'agissait de David Douillet, député des Yvelines, alors pressenti pour entrer au gouvernement. « Celui-là, je ne l'aime pas ! » lança Chirac. Je lui ai demandé pourquoi cet ancien judoka, longtemps ambassadeur des Pièces jaunes et proche de Bernadette, suscitait chez lui un tel rejet. « Il a dit du mal de moi à une époque, pensant ainsi tomber dans les bras de Sarkozy. Si c'était le seul...

Ce sont tous les mêmes », grogna-t-il. En se levant, il fit craquer nombre de ses articulations. Après avoir dédicacé l'exemplaire de ses Mémoires pour mon ami, il demanda à une assistante que l'on m'en offre une version traduite en chinois. « Maintenant, il ne te reste plus qu'à apprendre le chinois ! » : telle fut sa dédicace. Il me raccompagna ensuite jusqu'à la porte. Mais, avant de le quitter, je ne pus m'empêcher de l'interroger sur ses héritiers en politique, sur leur nombre et leurs marques de loyauté ; il soupira longuement et, d'un geste de la main, se mit à remuer l'air comme pour chasser un essaim de mouches. Puis il soupira encore : « Le chiraquisme n'est plus qu'une vieille branche sur laquelle se posent les corbeaux. Le villepinisme existe, le sarkozysme existe, mais pas le chiraquisme. Ça n'a jamais existé. En tout cas, moi, je n'y ai jamais cru. » Je lui fis remarquer que, pourtant, beaucoup d'élus, à commencer par Nicolas Sarkozy – en tout cas publiquement et depuis peu –, manifestaient à son égard de la sympathie et du respect. Il pouffa de rire, les mains dans les poches, le nez en l'air et cette peau molle qui lui tombait sur le haut des yeux : « C'est parce qu'on approche des élections, voilà tout. Il ne faut pas chercher ailleurs. Il y a eu la rupture, je ne l'oublie pas. Tu sais ce que c'est, toi, la rupture ?

— Oui, selon Sarkozy, c'est rompre avec votre héritage, vos habitudes et votre manière de faire de la politique.

— Eh bien voilà pourquoi je te dis que si on parle de moi, c'est parce qu'il y a des élections. Je n'ai pas oublié la rupture. Jamais. Allez, reviens quand tu veux et si tu prends ta moto, fais bien attention aux voitures… »

A Libreville, les esprits s'échauffent à mesure qu'on annonce l'arrivée de la délégation française. Une quinzaine de chefs d'Etat doit honorer la mémoire d'Omar Bongo, mort le 8 juin 2009, à l'âge de soixante-treize ans. Dans la cour du palais présidentiel, la berline du président français freine sec devant un cortège de militants pro-Bongo. C'est la bousculade, on entend monter une véhémente clameur. On voit des visages se crisper, passant de la tristesse d'avoir perdu un guide à la colère de voir flotter le drapeau français à l'avant d'une voiture. « Dehors ! Partez, on ne veut pas de vous ! » hurlent les militants à l'adresse de Nicolas Sarkozy, qui vient de poser un pied à terre. Malgré les invectives et les huées, le président français tente de faire bonne figure devant les caméras qui ne ratent rien de son arrivée. Ces jeunes militants du Parti démocratique gabonais lui reprochent, non pas son discours de Dakar – quoique… –, mais l'« acharnement » de la justice française à l'encontre de Bongo, ainsi que l'annonce de sa mort par la presse française. Malgré son état, Jacques Chirac, qui a fait la route de l'aéroport jusqu'au palais présidentiel dans la même voiture, a tenu à honorer la mémoire d'Omar Bongo. Il était très proche du chef de l'Etat gabonais, auprès duquel il venait « prendre conseil » avant une grande échéance politique, selon une vieille tradition française. Pour des raisons protocolaires, Chirac a laissé Nicolas Sarkozy descendre le premier du véhicule. Une même voiture pour un sort différent. Car, tandis que l'un subissait les réprimandes de la foule, l'autre, à peine sorti de la berline, suscitait les clameurs et les applaudissements. Des mains amies et dansantes se tendaient sur son passage. On se débattait, on s'agitait pour toucher « Papa Chirac », pour célébrer cet homme à la sagesse toute africaine, ce Blanc au cœur noir. On le saluait en effet comme un enfant du continent, un connaisseur de l'Afrique, qui s'incline devant ses morts et respecte ses rites ancestraux. Jacques Chirac sait, lui, que l'homme africain est entré dans l'Histoire et fut même parmi les premiers à y entrer. Il avait confié cette conviction à des proches après le discours de Dakar.

Avant le passage devant la dépouille de Bongo, Chirac, déjà très affaibli, a patienté longuement dans un salon d'honneur en présence de plusieurs chefs d'Etat africains, soit autant d'amis. Là encore, il laissa à Sarkozy l'initiative de saluer le premier ses homologues. L'ambiance fut courtoise, sans effusions ni mains sur l'épaule. Chirac suivit. Le « Grand » ne disait pas seulement bonjour d'une poignée de mains occidentale, il approchait la tête pour saluer à l'africaine, tempe contre tempe. Il répétait ce geste maintes et maintes fois, sous les yeux d'un Sarkozy, qui se sentait comme étranger à ce cérémonial improvisé. A la fin de l'hommage à Bongo, il tardait à Chirac de regagner l'avion. Le coup d'épaule involontaire d'un aide de camp africain, la fatigue, la faim, la chaleur et l'émotion avaient sérieusement entamé sa capacité de résistance, sa faculté de rester debout et surtout sa patience. L'homme n'aime pas le désordre et, peut-être moins encore, les retards. L'organisation brouillonne des Gabonais et les tergiversations des représentants de l'ambassade de France à Libreville ajoutaient à sa lassitude. Chirac perdit ses nerfs. A la manière de son fameux coup de sang de 1996, à Jérusalem, il arrêta le premier représentant de l'organisation croisé et le rabroua ainsi qu'à ses plus belles heures. « Bon, maintenant ça suffit, quel est le programme ? Où sont les voitures qui doivent nous conduire à l'aéroport ? Non, écoutez-moi, ça fait un moment que l'on attend, moi, je n'attends plus ! Vous m'entendez ? »

Combien de temps lui reste-t-il à vivre ? Deux jours ? Dix ans ? Est-ce la dernière fois qu'il m'est donné de le voir ? Ces questions ne cessaient de m'obséder chaque fois que je le quittais et que je le voyais porter le masque de la souffrance, à peine avait-il fait trois pas. En d'autres temps, la force chiraquienne était une métaphore politique. Elle suscitait l'admiration, car il y avait bien quelque chose d'herculéen chez cet escogriffe sans cesse en mouvement. La maladie – jusqu'à ce maudit AVC – semblait le fuir, se détourner de lui ou se heurter à des anticorps granitiques. Sa nature hors normes donnait l'impression de repousser les assauts de tout ce qui ressemblait à un virus ou à un microbe. Au plus fort de sa maladie, qui l'accablait ou l'épargnait selon un rythme qui échappait aux règles de la médecine, il peinait à dissimuler son mal.

J'ignorais d'ailleurs s'il s'agissait à proprement parler d'une douleur physique, comme l'ont connue François Mitterrand ou Georges Pompidou à la fin de leur vie. Je me retenais de lui demander benoîtement : « Vous avez mal, monsieur ? Mais où avez-vous mal ? » Il était entré dans la maladie en silence. Il m'apparaissait que cette moue doublement ridée par l'effort traduisait davantage une gêne vis-à-vis du « spectateur », une forme d'excuse envers autrui, qu'une douleur foudroyante. Se lever, marcher, se baisser n'étaient plus des actes anodins pour le survivant d'un AVC. Aussi faisait-il fréquemment des pauses lorsqu'il s'aventurait à marcher plus de cinquante mètres, une main sur l'épaule de son voisin le plus proche, l'autre dans la poche. Comme ce jour où, alors qu'il me raccompagnait jusqu'à la porte de son bureau, il s'arrêta devant une photo placardée sur un mur du couloir. C'était une pause, mais aussi une curiosité. Il regarda ce cliché en noir et blanc, puis me regarda, et il le regarda encore. Sans mot dire. Au premier coup d'œil, on l'y distinguait avec une casquette kaki à peine enfoncée sur la tête, un uniforme de même couleur, une baguette de pain dans la main et un large sourire éclairant son visage. Il devait avoir vingt ans, peut-être vingt-cinq. Il était entouré de deux ou trois hommes portant, eux aussi, l'uniforme et cette joyeuse équipe donnait l'impression de faire une halte pour casser la croûte. Sur l'image, c'est lui, Chirac, en beauté lumineuse et fiévreuse, qui domine. C'est lui qui tient la baguette et qui, grâce à ses grandes paluches, s'apprête à la couper en deux, un genou à terre, quand les autres sont sagement assis en tailleur. On ne voit que lui, le soldat volontaire Chirac. Major de Saumur, il a refusé, en 1956, un poste d'interprète à Berlin, autant dire une planque. Au marbre des ambassades, il a préféré le sable du djebel et s'en est allé faire la guerre en Algérie.

« C'était en Algérie, me dit-il. Tu connais l'Algérie, toi ?

— Oui, un peu, ma grand-mère y vit encore, entre Alger et un petit village de Kabylie.

— La Kabylie, c'est bien. Moi, j'étais vers Oran. Un endroit magnifique... Les gens étaient magnifiques.

— Mais vous étiez considéré alors comme un occupant, donc un ennemi ?

— Tous ne pensaient pas ça. Je me souviens de l'accueil dans certains villages, c'était quelque chose. On ne leur voulait pas de mal. J'ai noué plein d'amitiés à cette époque.

— Combien de temps y êtes-vous resté ?

— Presque trente mois, me semble-t-il.

— Vous en gardez beaucoup de souvenirs ?

— Ah, ça oui ! On ne peut pas oublier l'Algérie. Et surtout les Algériens. Ah, c'était quelque chose... Je me souviens des petits villages que nous traversions pas loin de la frontière marocaine... A Souk el-Arba. C'était dur, mais bon.

— A l'évidence, les Algériens ne vous ont pas oublié. Preuve en est votre déplacement en 2003 à Alger, avec ces scènes de liesse tout le long de la baie...

— C'était très émouvant de voir cette foule nous acclamer. Près d'un million d'Algériens pour m'accueillir et me serrer la main. J'avais restitué au pays le Sceau du dey d'Alger [que celui-ci avait remis aux Français en 1830 en signe d'allégeance]. Je ne remercierai jamais assez mon ami Bouteflika. Lui, c'est un bon gars. Tu sais que c'est mon ami ?

— Comment aviez-vous vécu à l'époque l'initiative de députés UMP qui souhaitaient inscrire dans la loi le bilan positif de la colonisation ?

— Une idée inconséquente qui n'eut qu'un seul effet : crisper nos relations avec l'Algérie. Je l'ai déploré. Je n'ai pas compris pourquoi ils ont fait ça et je l'ai dit à Raffarin. »

Après ce bref échange, il m'entreprit à de multiples reprises sur l'Algérie. Il considérait que ceux qui avaient connu la guerre étaient le mieux à même de faire la paix. Il louait la grandeur de la culture arabe, les paysages de l'Algérie. C'était à croire qu'il ne voyait plus en moi le journaliste, mais une amicale compagnie d'origine algérienne, qui n'était d'ailleurs pas, comme il le soulignait avec malice, arabe, mais kabyle de naissance. Comment ce grand défenseur des civilisations aurait-il pu ignorer les particularités identitaires des communautés arabes et kabyles, dont la rivalité l'amusait ? Il avait la mémoire défaillante, mais cette réalité ne tenait plus dès lors qu'il égrenait avec un plaisir non dissimulé le nom des villes algériennes qu'il avait traversées. Il débitait souvenirs et anecdotes. Il fallait l'entendre, la lèvre supérieure un chouïa retroussée, mettre une intonation arabe à l'énoncé de ces villes situées dans l'Oranie. Un jour, il accorda un entretien à un jeune étudiant de Sciences-Po, lequel était d'origine algérienne et préparait un mémoire sur les « événements » d'Algérie. Quand on fit part à l'ancien officier de réserve de la requête de l'étudiant, alors que mille demandes d'interview étaient en souffrance, il accepta de le rencontrer, sans pouvoir réfréner une petite excitation liée au sujet pour lequel on solliciterait sa mémoire. Derrière ce front tavelé et barré de quatre rides, là où s'entremêlaient les souvenirs d'il y a dix ans, se brouillaient ceux de sa sortie de l'Elysée et s'effaçaient ceux de la veille, il y avait toujours, dans un recoin sombre et sûr, une place pour l'Algérie, son Algérie, sa guerre, les rencontres, les moments de peine, les épisodes glorieux et moins glorieux. Pour les premiers coups de fusil, les premières amours, les premières peurs. Les images lui revenaient nettement, sans brouillard. Elles n'arrivaient d'ailleurs jamais seules. Elles étaient toujours, bien que lointaines, accompagnées d'une petite lueur qui se devinait dans le verbe, dans son œil ou à la commissure de ses lèvres. C'était l'effet Algérie. Au fil de mes échanges sur le sujet, j'ai compris que si la Corrèze avait fait de lui un homme politique, l'Algérie avait fait de lui un homme tout court. Question de circonstances, en l'occurrence tragiques.

Lors d'un entretien, je lui ai demandé s'il souhaitait un jour y retourner, et pourquoi pas incognito. Il a compris, à tort, que je lui proposais d'y aller, là, tout de suite, maintenant, avec moi. Après qu'il eut mieux saisi le sens de ma question, il me répondit : « Aller en Algérie ? J'ai très envie de retourner en Algérie et je vais y retourner ! D'abord, le président algérien est un homme très gentil, qui m'a plusieurs fois invité, je serai content d'y retourner... J'y retournerai. » Il se le jurait : il retournerait en Algérie, mais, comment imaginer un instant ce souhait réalisable ?

Qu'est-ce qui l'animait durant ces trente mois passés dans la touffeur algérienne ? Quelle fut sa cause ? Son grand dessein ? Aux dires de beaucoup d'appelés, il était impossible, même jeune et con, de ne pas s'interroger sur le sens de l'engagement français en Algérie, ce pays où les « indigènes » portaient le turban, la djellaba et priaient Dieu front contre sol. Il y avait ceux pour qui la France devait poursuivre son œuvre civilisatrice et conserver ces départements français afin de sauver ce qu'il restait de l'empire. Et il y avait ceux qui considéraient que la France n'avait rien à y faire, et se sentaient d'autant plus meurtris à l'idée de devoir y assurer le maintien de l'ordre, avec pour consigne, parfois, d'user les pires méthodes. Jacques Chirac était-il « Algérie française » ? Oui, paraît-il. Avait-il milité, torturé ?

« Moi, Algérie française ? Non, je n'ai jamais été très Algérie française.

— D'où vient donc cette étiquette que l'on vous a collée ?

— J'ai toujours été contre les putschistes d'Alger et notamment contre les généraux. C'est une légende qui s'est créée. Les généraux ont été emprisonnés à Tulle, en Corrèze, moi j'étais très lié à Tulle, donc je leur ai rendu une petite visite. Je trouvai que c'était correct, j'avais de la considération pour le grade, et c'est comme ça que l'on a dit que j'étais Algérie française. Parce que j'allais régulièrement leur faire une petite visite. »

Son vieil ami, le recteur de la Grande Mosquée de Paris, Dalil Boubakeur, m'a fait part un jour de l'existence d'un dossier sur « l'officier Chirac », détenu par le FLN. Dans ce dossier, il est question des états de service du jeune appelé, de ce qu'il avait fait de bien ou de mal durant sa période algérienne. Des éléments de cette enquête menée auprès de témoins de l'époque ont été publiés dans un journal algérien arabophone : il apparaissait que Jacques Chirac était bien noté par les colonisés d'hier. En matière de torture et d'exactions diverses : « rien à signaler ».

Il sera mort sans jamais revoir l'Algérie.

J'étais au Concorde, accoudé au comptoir, un café froid sous le nez, quand il m'est soudain apparu, entouré d'un agent de sécurité, d'un conseiller et de Patricia, sa secrétaire, la même depuis trente ans. Il m'a aperçu là, debout, l'air hébété, figé dans un jean usé. Lui-même m'a semblé plus vieux et plus voûté que lors de notre dernière rencontre. Ses gestes étaient également moins prestes. Etait-ce parce que je le voyais hors des murs de son petit bureau ? Il paraissait fatigué, le teint hâve et les cernes bistre le rendant plus grave qu'il ne l'était réellement. On m'a rapporté qu'il avait refusé le fauteuil roulant que ses médecins lui recommandaient d'emprunter pour ses sorties. « Ah non, je ne veux pas de petite voiture ! » rouspétait-il. Cette ancienne force de la nature s'était déjà résignée à porter un appareil auditif, preuve matérielle, bien que discrète, que quelque chose n'allait pas bien dans ce corps en repli sur lui-même. Lorsqu'il me vit, il poussa un grand râle de surprise et, d'un coup de menton, m'invita à les rejoindre dans le fond de la salle, où la maîtresse des lieux, éponge à la main, venait d'aligner trois tables. Je ne me fis pas prier. Il m'indiqua une chaise en face de lui. De près, à deux mètres à peine, j'épiai son visage, comme on le ferait devant un Rodin, en m'arrêtant sur sa verrue, sur cette bouche qui avait perdu ses lèvres, sur ces petites croûtes nouvelles qui parsemaient la lisière de ses cheveux, puis sur ses mains constellées de tâches brunes et ses doigts aux ongles ternes. A l'âge de sept ans, il avait lancé un couteau contre un arbre, qui lui était revenu en plein visage, précisément sous l'œil droit. Je cherchai en vain la cicatrice. Sous la table il ne se passait rien, aucune trépidation de la jambe ou contorsion de la cheville. Il commanda une « tomate », qu'il but à la paille, et moi, un Perrier. Naturellement, il a moqué mon choix sans alcool. « Alors, tu travailles sur quoi en ce moment ? — Sur mille choses à la fois, mais, pour tout vous dire, mon esprit est ailleurs. — Ah bon ? Et où ça ?

— Ben... Si tout va bien, je devrais être papa dans les prochains jours. — Papa ? Ah bon ? Et pour quoi faire ? » J'ai ri et lui aussi. Il était vain de tenter de lui arracher une réflexion profonde sur la paternité, il éludait. Il refusait sans faillir d'aborder cette question, peut-être pour lui douloureuse. Puis nous avons parlé de mon journal : « *Le Point* ? Un *Point*, c'est tout ! » Et, je ne sais comment, de Bernadette : « En vacances, je prends un bon fauteuil et je m'installe à la lisière de la plage, puis je regarde ma femme nager. Elle aime beaucoup ça, nager. Je la surveille, mais elle nage bien... » De Marine Le Pen : « Alors, elle va comment Madame Lapine ? » De Hollande : « François Hollande est un excellent président ! Il est tout à fait à la hauteur. Il mesure combien déjà ? » De Sarkozy, aussi : « C'est un type qui considère qu'il n'y a que le fric qui compte, c'est malsain. » Le tout sans aucune cohérence, taquin ou sérieux, passant d'un sujet à un autre, mais qu'importe, il semblait être content au milieu de nous dans cette ambiance de bruit de tasses et de va-et-vient entre la salle et les toilettes. Dans ma poche, mon portable vibrait, vibrait fort, mais il était hors de question pour moi d'interrompre cet instant. Instant inouï dans la vie d'un jeune journaliste – en fait, d'un jeune homme. Je prenais un verre avec un ancien président de la République et, l'espace de quelques secondes, je culpabilisais de ne pas avoir le trac de nos premières fois, de me tenir ainsi bossu sur ma chaise, en biais, le bras sur un barreau et le col ouvert. Et il m'arrivait, de surcroît, spontanément, de plonger ma main dans sa soucoupe de biscuits apéritifs sans lui demander au préalable l'autorisation. Voilà ce que provoquait son sens profond de l'égalité de l'autre, le respect de son interlocuteur.

Au bout d'une heure d'échanges, l'agent de sécurité fit signe qu'il était temps pour lui de partir. Il grommela, puis se leva lentement. L'addition était pour lui. A peine avais-je enfilé ma veste qu'il était déjà debout à quelques centimètres de moi. Je venais de comprendre qu'il voulait mon épaule pour avancer. Je la lui tendis. Avec lui amarré à mon corps, j'avançais lentement jusqu'à la sortie, prenant garde de ne pas glisser sur le menaçant carrelage du Concorde. A cet instant, il me parlait et je n'entendais plus rien. J'avais comme du coton dans les oreilles, tandis que je voyais notre reflet dans le pare-brise d'une voiture qui stationnait en face. Je sentais son souffle sur ma joue et son odeur de musc. C'était celle de l'homme à la plus belle carrière de la Ve République. Des passants nous prirent en photo. « Clic-clac, merci Kodak », leur répondit-il. Son chauffeur l'attendait à l'angle de la rue de Lille et du boulevard Saint-Germain. Arrivé devant la portière de son « automobile », il lâcha mon épaule et me tendit sa main droite. Il proposa que l'on se revoie bientôt. Je ne l'ai plus revu. Quelques jours plus tard, mon fils est né. Peu après l'accouchement, j'ai découvert sur mon téléphone un message audio provenant d'un numéro inconnu. C'était lui. De sa voix mémorable, il disait vouloir parler à mon fils, Gabriel, pour lui souhaiter la plus belle des vies.

Cet ouvrage a été imprimé en France
par CPI
en septembre 2015

Grasset s'engage pour l'environnement en réduisant l'empreinte carbone de ses livres. Celle de cet exemplaire est de :
305 g éq. CO_2
Rendez-vous sur www.grasset-durable.fr

N° d'édition : 19067 - N° d'impression : 2018398
Dépôt légal : octobre 2015